studio [21]

Das Deutschbuch
Deutsch als Fremdsprache

A1.2

von Hermann Funk
und Christina Kuhn

Übungen:
Laura Nielsen
und Kerstin Rische

Phonetik:
Beate Lex
sowie Beate Redecker

studio [21]
Das Deutschbuch A1.2
Deutsch als Fremdsprache

Herausgegeben von Hermann Funk
Im Auftrag des Verlages erarbeitet von
Hermann Funk und Christina Kuhn
Übungen: Laura Nielsen und Kerstin Rische

In Zusammenarbeit mit der Redaktion:
Dagmar Garve, Andrea Mackensen,
Nicola Späth (Bildredaktion), Regin Osman (Mitarbeit),
Gunther Weimann (Projektleitung)

Phonetik: Beate Lex sowie Beate Redecker

Beratende Mitwirkung:
Ayten Genc (Ankara); Sofia Koliaki, Andy Bayer (Athen);
Verena Paar-Grünbichler (Graz); Claudia Petermann (Jena);
Aurica Borszik (Kleestadt); Gertrud Pelzer (Mexiko);
Julia Evteeva, Irina Semjonowa, Elena Shcherbinina (Moskau);
Ralf Weißer (Prag); Luciano L. Tavares (Rio de Janeiro);
Priscilla M. Pessutti Nascimento,
Renato Ferreira da Silva (Sao Paolo);
Christine Becker, Barbara Ziegler (Stockholm);
Niko Tracksdorf (Storrs); Evangelia Danatzi (Thessaloniki)

Symbole

)))🦻 Hörverstehensübung

((◀ Aussspracheübung

I◀I Übung zur Automatisierung

🔍 Fokus auf Form,
Verweis auf die Grammatik-
übersicht im Anhang

Zusatzmaterialien im E-Book

ABC📖 Lernwortschatz

🧩📖 zusätzliche interaktive
Übungen zum Wortschatz

🔍📖 zusätzliche interaktive
Übungen zur Grammatik

🎬📖 Videoclips – Sprechtraining

Illustrationen: Andrea Naumann, Andreas Terglane: S. 191 (Übung 4), 221, 225, 226, 242, 243 („Joker"),
255 und 258

Umschlaggestaltung, Layout und technische Umsetzung: Klein & Halm Grafikdesign, Berlin

Informationen zum Lehrwerksverbund **studio [21]** finden Sie unter www.cornelsen.de/studio21.

www.cornelsen.de

Die Links zu externen Webseiten Dritter, die in diesem Lehrwerk angegeben sind,
wurden vor Drucklegung sorgfältig auf ihre Aktualität geprüft. Der Verlag übernimmt
keine Gewähr für die Aktualität und den Inhalt dieser Seiten oder solcher, die mit ihnen
verlinkt sind.

1. Auflage, 2. Druck 2014

Alle Drucke dieser Auflage sind inhaltlich unverändert
und können im Unterricht nebeneinander verwendet werden.

© 2013 Cornelsen Schulverlag GmbH, Berlin

Druck: Firmengruppe APPL, aprinta Druck, Wemding

ISBN: 978-3-06-520532-0

PEFC zertifiziert
Dieses Produkt stammt
aus nachhaltig
bewirtschafteten
Wäldern und
kontrollierten Quellen
PEFC
PEFC/04-32-0928   www.pefc.de

Vorwort

Liebe Deutschlernende, liebe Deutschlehrende,

studio [21] – Das Deutschbuch richtet sich an Erwachsene ohne Deutsch-Vorkenntnisse, die im In- und Ausland Deutsch lernen. Es ist in drei Gesamtbänden bzw. in sechs Teilbänden erhältlich und führt zur Niveaustufe B1 des Gemeinsamen europäischen Referenzrahmens. **studio [21]** bietet ein umfassendes digitales Lehr- und Lernangebot, das im Kurs, unterwegs und zu Hause genutzt werden kann.

studio [21] – Das Deutschbuch A1.2 mit integriertem Übungsteil und eingelegtem E-Book enthält sechs Einheiten und zwei Stationen. Jede Einheit besteht aus acht Seiten für gemeinsames Lernen im Kursraum und acht Seiten Übungen zum Wiederholen und Festigen.

Jede Einheit beginnt mit einer emotional ansprechenden, großzügig bebilderten Doppelseite, die vielfältige Einblicke in den Alltag in D-A-CH vermittelt und zum themenbezogenen Sprechen anregt. Die Redemittel und die Wort-Bildleisten helfen dabei. Im E-Book können die Bilder in den Wort-Bildleisten vergrößert werden und die dazugehörigen Wörter sind vertont. Darüber hinaus kann der Lernwortschatz einer jeden Doppelseite angesehen werden.

Im Mittelpunkt der nächsten drei Doppelseiten stehen aktives Sprachhandeln und flüssiges Sprechen. In transparenten Lernsequenzen werden alle Fertigkeiten in sinnvollen Kontexten geübt, Grammatik in wohlüberlegten Portionen vermittelt, Phonetik und Aussprache integriert geübt sowie Wörter in Wortverbindungen gelernt. Zielaufgaben führen inhaltliche und sprachliche Aspekte einer Einheit jeweils zusammen.

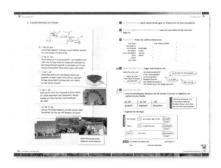

Die Übungen eignen sich für das Weiterlernen zu Hause. Auf der letzten Seite jeder Einheit kann der Lernfortschritt selbstständig überprüft werden. Das E-Book enthält alle Übungen auch als interaktive Variante. Es bietet zusätzliche Videoclips zum Sprechtraining sowie interaktive Übungen zu Wortschatz und Grammatik.

Nach jeder dritten Einheit folgt eine optionale Station, in der das Gelernte wiederholt und erweitert wird. Hier werden Menschen mit interessanten Berufen vorgestellt und Übungen zum Video angeboten. Die beiden Magazinseiten mit anregenden Texten und Bildern laden zum Verweilen und Nachdenken ein.

Wir wünschen Ihnen viel Spaß und Erfolg beim Deutschlernen und Deutschunterricht mit
studio [21] – Das Deutschbuch!

Inhalt

Inhalt	Sprachhandlungen	Themen und Texte

Teilband A1.1

Wortfelder	Grammatik	Aussprache
Berufe und Tätigkeiten	Wortbildung: feminine Berufsbezeichnungen Modalverben im Präsens: *können, müssen* Satzklammer Possessivartikel im Akkusativ	Konsonanten: *ng* und *nk*
Stadt Aktivitäten in der Stadt	Präpositionen: *in, durch, über* + Akkusativ Präpositionen: *zu, an ... vorbei* + Dativ Modalverb im Präsens: *wollen*	Konsonanten: *r* und *l*
Ferien und Urlaub Familie Unfall Monatsnamen	Perfekt: regelmäßige und unregelmäßige Verben Satzklammer	lange und kurze Vokale

Wörter – Spiele –Training; Filmstation; Magazin

Wortfelder	Grammatik	Aussprache
Lebensmittel Maße und Gewichte	Fragewort: *welch-* Komparation: *viel, gut, gern*	Endungen: *-e, -en, -el* und *-er*
Kleidung Farben Wetter	Adjektive im Akkusativ mit unbestimmtem Artikel Demonstrativa: *dies-* und *der, das, die* Wetterwort *es* Modalverb im Präsens: *mögen*	Vokale und Umlaute: *ie – u – ü* und *e – o – ö*
Sportarten Körperteile Krankheiten	Imperativ Modalverb im Präsens: *dürfen* Personalpronomen im Akkusativ	Sprechen mit Gefühl

Wörter – Spiele – Training; Filmstation; Magazin; Eine Rallye durch **studio** [21]

unregelmäßige Verben; Hörtexte; alphabetische Wörterliste

Hier lernen Sie

▶ über Berufe sprechen
▶ Tagesabläufe und Tätigkeiten beschreiben
▶ jemanden vorstellen
▶ eine Statistik auswerten

1 Was machen Sie beruflich?

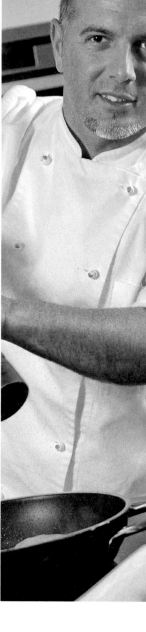

d

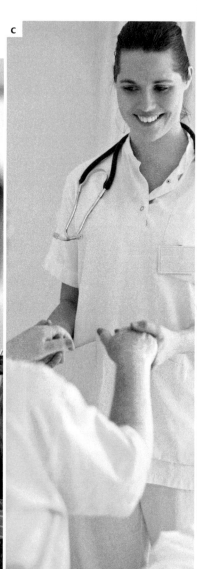

c

b

a

1 Berufe. **Ordnen Sie die Fotos zu.**

Ü1

1. ☐ der Ingenieur
2. ☐ der Programmierer
3. ☐ die Sekretärin
4. ☐ der Taxifahrer

5. ☐ die Krankenschwester
6. ☐ der Koch
7. ☐ die Friseurin
8. ☐ die Floristin

einhundertdreißig

die Werkstatt

der Friseursalon

das Krankenhaus

das Restaurant

2 Fünf Interviews. **Welchen Beruf haben die Personen?**
Hören Sie und ordnen Sie die Fotos den Namen zu.

2.02   Ü2

1. ☐ Sascha Romanov ist ...
2. ☐ Dr. Michael Götte arbeitet als ...
3. ☐ Sabine Reimann ist ... von Beruf.
4. ☐ Stefan Jankowski ...
5. ☐ Jan Hartmann ...

> Sascha Romanov ist Koch.

3 Und Sie? **Fragen Sie und antworten Sie im Kurs.**
Ü3

Redemittel	**nach dem Beruf fragen**	**seinen Beruf nennen**
	Was sind Sie von Beruf?	Ich bin Student/Köchin/...
	Was machen Sie beruflich?	Ich bin ... von Beruf.
	Was machst du beruflich?	Ich arbeite als ...
	Was ist dein/Ihr Beruf?	
	Und was machst du?	

ABC

einhunderteinunddreißig

das Blumengeschäft

die Baustelle

das Büro

die Firma

2 Berufe und Tätigkeiten

1 Berufe, Tätigkeiten, Orte. **Ordnen Sie zu, ergänzen Sie die feminine Form und berichten Sie.**

☑	repariert Autos	an einer Schule
☐	unterrichtet Schüler/innen	im Krankenhaus
☐	verkauft Schuhe	in einer Werkstatt
☐	schneidet Haare	im Schuhgeschäft
☐	schreibt Computerprogramme	im Büro
☐	untersucht Patienten	im Friseursalon

Plural
jemand

Ein Kfz-Mechatroniker /
Eine Kfz-Mechatronikerin
repariert Autos in einer Werkstatt.

a **Lehrer** *der;* -s, -; j-d, der an einer Schule Schüler/innen unterrichtet

b **Verkäufer** *der;* -s, -; j-d, der beruflich Dinge verkauft / **Auto-, Möbel-, Schuh-**

c **Arzt** *der;* -es, Ärzte; j-d, der Patienten untersucht / **-praxis**

d **KFZ-Mechatroniker** *der;* -s, -; j-d, der beruflich Maschinen repariert / **Auto-**

e **Friseur** *der;* -s, -e; j-d, der Haare schneidet / **-salon**

f **Programmierer** *der;* -s, -; j-d, der beruflich Programme für Computer schreibt

2 Berufsbezeichnungen. **Ergänzen Sie. Wie ist die Regel?**

26 Ü4

der *Lehrer*	die
der	die *Taxifahrerin*
der	die *Studentin*

Regel Feminine Berufsbezeichnungen haben meistens die Endung ....

Minimemo
der Krankenpfleger – die Krankenschwester
der Hausmann – die Hausfrau
der Arzt – die Ärztin

3 Berufe raten. **Lesen Sie laut und ordnen Sie**
Ü5–8 **einen Beruf zu. Achten Sie auf *ng* und *nk*.**

In die Theo-Brinkmann-Straße 43, bitte.

Die Heizung im Auto ist kaputt.

Möchten Sie die Haare lang oder kurz?

Machen Sie die Projektleitung?

Bringen Sie den Eistee in den Kühlschrank?

Das Programm funktioniert nicht!

Welche Krankenkasse haben Sie?

4 Visitenkarten. **Lesen Sie die Visitenkarten. Welche Informationen finden Sie?**

Ü9

Cornelsen

Dagmar Garve
Redakteurin Deutsch als Fremdsprache

Cornelsen Verlag
Mecklenburgische Straße 53
14197 Berlin
www.cornelsen.de/daf

Telefon +49 (0) 30 897 85 85 11
Telefax +49 (0) 30 897 85 86 05

dagmar.garve@cornelsen.de

**Wolfgang Grumme
Tischlerei**

Werkstatt
Goethestraße 138
13086 Berlin-Weissensee
tel 030/44 55 66
mobil 0179/765 43 21
wolfgang@grumme.de

Privat
Bautzener Straße 11
10437 Berlin
tel/fax 030/87 43 65

5 Visitenkarten übergeben

a) **Sie haben keine Visitenkarte?
Dann schreiben Sie eine.**

b) **Tauschen Sie die Visitenkarten
mit Ihrer Partnerin / Ihrem
Partner. Stellen Sie sich vor
(Name, Beruf) und übergeben
Sie die Karten.**

Efes-Soft
Software und Systeme

Muhammad Al Thani
Programmierer
Herrenstr. 67
76133 Karlsruhe
Tel.: 0721/913 77 86
E-Mail: info@efes.de

*Guten Tag, mein Name
ist Fatma Al Thani.
Ich bin Programmiererin bei Efes-Soft
in Karlsruhe. Hier ist meine Karte.*

6 Visitenkarten interkulturell. **Vergleichen Sie.**

3 Neue Berufe

1 Hypothesen vor dem Lesen: Fotos helfen. **Wählen Sie ein Foto aus 2 oder 3 aus. Welche Verben passen?**

> im Büro arbeiten – trainieren – einen Kurs leiten – Kunden am Telefon beraten – Kurse planen – im Fitness-Studio arbeiten – am Wochenende arbeiten – Tickets reservieren

2 Lesen und Hypothesen prüfen: Beruf Call-Center-Agentin

a) **Lesen Sie. Stimmen Ihre Hypothesen in 1?**

Vera Klapilová,
31 Jahre, Call-Center-
Agentin

Beruf: Call-Center-Agentin

Ich arbeite im Lufthansa-Call-Center in Brünn (Brno) in der Tschechischen Republik. Ich muss beruflich viel telefonieren. Ich kann Tschechisch, Deutsch und Englisch sprechen, also bekomme ich die Anrufe aus Großbritannien, den USA und Deutschland. Meine Kolleginnen und ich sitzen zusammen in einem Büro. Wir beraten unsere Kunden am Telefon, informieren sie über Flugzeiten und reservieren Flugtickets. Wir müssen am Telefon immer freundlich sein, das ist nicht leicht. Unsere Arbeitszeit ist flexibel und wir müssen manchmal auch am Wochenende arbeiten. Ich habe dann wenig Zeit für meine Familie. Meine Tochter ist leider keine Hilfe im Haushalt, sie kann stundenlang telefonieren, aber sie kann nicht kochen!

b) **Welche Aussagen sind richtig? Kreuzen Sie an.**

1. ☐ Vera Klapilová spricht zwei Fremdsprachen.
2. ☐ Sie arbeitet allein im Büro.
3. ☐ Sie informiert die Kunden über Flugzeiten.
4. ☐ Die Arbeitszeit ist flexibel.
5. ☐ Sie arbeitet am Wochenende nicht.
6. ☐ Ihre Tochter telefoniert lange.

3 Lesen und Hypothesen prüfen: Beruf Sport- und Fitnesskaufmann

Ü10–11

a) **Lesen Sie. Stimmen Ihre Hypothesen in 1?**

Beruf: Sport- und Fitnesskaufmann

Ich arbeite in einem Fitness-Studio in Berlin. Mein Beruf ist interessant. Ich bin Trainer und leite Aerobic-Kurse. Ich muss die Sportgeräte kontrollieren und unsere Mitglieder beraten. Ich plane die Sportkurse und organisiere Partys. Meine Arbeitszeit ist von 10 bis 20 Uhr mit zwei Stunden Mittagspause. Ich arbeite oft am Samstag, aber am Sonntag muss ich nicht arbeiten. Leider kann ich meine Freundin nicht oft treffen. Sie ist auch Aerobic-Trainerin. Im nächsten Jahr können wir zusammen als Animateure in einem Sportclub in Spanien arbeiten.

Martin Sacher,
26 Jahre, Sport- und
Fitnesskaufmann

b) **Sammeln Sie die Informationen aus beiden Texten in einer Tabelle.**

	Vera Klapilová	Martin Sacher
Was? (Beruf und Tätigkeiten)	....	einen Aerobic-Kurs leiten,
Wo? (Arbeitsort)	....	....
Wann? (Arbeitszeit)	....	....

c) Vera (V) oder Martin (M)? Ergänzen Sie.

1. ☐ hat viel Arbeit im Haushalt.
2. ☐ organisiert Kurse.
3. ☐ informiert Kunden.

4. ☐ arbeitet manchmal auch am Sonntag.
5. ☐ arbeitet im nächsten Jahr im Ausland.
6. ☐ arbeitet am Computer.

4 Wer macht was? **Sammeln Sie.**

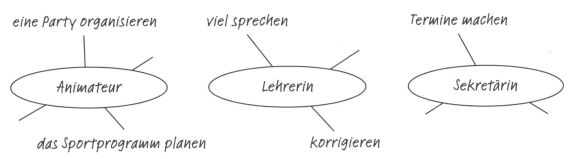

eine Party organisieren

viel sprechen

Termine machen

Animateur

Lehrerin

Sekretärin

das Sportprogramm planen

korrigieren

▐◀▮ **5** Mein Traumberuf. **Was ist wichtig für Sie? Schreiben Sie drei Aussagen und lesen Sie vor.**
Ü12 **Hier sind Ideen.**

Ich kann (oft)
Ich muss nie

im Büro / in der Fabrik / zu Hause arbeiten.
mit Kindern / mit Tieren arbeiten.
viele Leute treffen.
spät/früh anfangen.
Menschen helfen.
am Computer arbeiten.
mit den Händen arbeiten.
telefonieren.
E-Mails schreiben.
viel Geld verdienen.
in andere Länder fahren.
um sechs Uhr aufstehen.
mit Kolleginnen und Kollegen zusammenarbeiten.
allein arbeiten.
bis 22 Uhr arbeiten.

Ich kann viele Leute treffen.
Ich kann oft mit den Händen arbeiten.
Ich muss nie allein arbeiten.

Mein Traumberuf ist Verkäufer!

Landeskunde

Die Arbeitslosigkeit ist weltweit ein Problem. Arbeitslos ist in Deutschland, wer keine Arbeit hat, eine Arbeit sucht und sich bei der Arbeitsagentur arbeitslos meldet. Arbeitslose bekommen einige Monate Geld von der Arbeitsagentur. Die Agentur hilft bei der Suche nach Arbeit. Informationen über Berufe und Ausbildungen findet man unter www. arbeitsagentur.de, www.planet-beruf.de und in den Berufsinformationszentren (BIZ).

 Bundesagentur für Arbeit

4 Ich muss um sieben Uhr aufstehen. Und du?

1 „Autogrammjagd". **Sammeln Sie Unterschriften.**

Musst du um 7 Uhr aufstehen?	
Musst du um 8 Uhr zur Arbeit fahren?	
Kannst du am Sonntag lange schlafen?	
Hast du zwischen eins und zwei Mittagspause?	
Musst du vor 9 Uhr arbeiten?	
Musst du beruflich viel telefonieren?	
Kannst du zu Hause am Computer arbeiten?	

2 *können* und *müssen*.

20.2, 31   Ü13   **Lesen Sie die Sätze und sammeln Sie Beispiele auf Seite 134.**

Modalverb   **Verb (Infinitiv)**

können   Sie   (kann) stundenlang (telefonieren) .

müssen   Am Sonntag (muss) ich nicht (arbeiten) .

3 Der Tagesablauf von Paula und Frank Rausch.

Ü14–16   **Was tut Paula? Was tut Frank? Schreiben Sie.**

> *Um 6.15 Uhr muss Paula aufstehen.*
> *Um 7.15 Uhr muss sie ...*

Paula Rausch (35), Programmiererin	**Frank Rausch (36), Lehrer, hat Ferien**
um 6.15 Uhr / aufstehen / müssen	bis 7 Uhr / schlafen / können
um 7.15 Uhr / mit dem Bus zur Arbeit / fahren / müssen	um 8.30 Uhr / die Tochter / in den Kindergarten / bringen / müssen
von 7.30 bis 15 Uhr / arbeiten	um 12.30 Uhr / das Auto in die Werkstatt / bringen
um 16.30 Uhr / ihre Tochter / vom Kindergarten / abholen / müssen	von 17 bis 18.30 Uhr / zum Fußballtraining / gehen
um 18.30 Uhr / das Abendessen / machen	um 19 Uhr / die Tochter / ins Bett / bringen
Paula und Frank / von 20 bis 22 Uhr / fernsehen / können	

4 Und Ihr Tagesablauf?
Fragen Sie und antworten Sie im Kurs.

> *Wann musst du zur Arbeit fahren?*

> *Was machst du am Abend?*

5 Am Wochenende.
Was machen Sie am Sonntag? Schreiben Sie einen Ich-Text.

> *Am Sonntag stehe ich um ... Uhr auf. Ich muss (nicht) ...*

5 Ich habe keinen Chef

1 Artikelwörter

3 Ü17–18

Ich mag meinen Chef!

a) **Lesen Sie die Tabelle. Markieren Sie die Artikelwörter im Akkusativ in den Texten auf Seite 134.**

Grammatik

Akkusativ

der	den	(k)einen	meinen	unseren	Brief
das	das	(k)ein	mein	unser	Büro
die	die	(k)eine	meine	unsere	Arbeit
(Pl.) die	die	keine/–	meine	unsere	Computer

... interessant. Ich bin Trainer und leite Aerobic-Kurse. Ich muss die Sportgeräte kontrollieren und unsere Mitglieder beraten. Ich plane die Sportkurse und organisiere Partys. Meine Arbeitszeit ist von 10 bis ...

b) **Ergänzen Sie die Regel.**

Regel Die Akkusativendung im Maskulinum Singular ist immer ....

2 Aussagen über sich und andere. **Üben Sie Possessivartikel im Akkusativ.**

Ich	lesen/	mein/e/en	Buch/E-Mail(s).
Wir	brauchen/	unser/e/en	Tee/Kaffee.
Mein Bruder	kennen/suchen	sein/e/en	Chef.
Meine Freundin	haben/trinken	ihr/e/en	Auto/Brille/Computer.

Ich suche meine Brille.

3 Spiel: Koffer packen. **Spielen Sie im Kurs.**

○ Ich packe meinen Koffer. Ich packe mein Buch ein.
◑ Ich packe meinen Koffer. Ich packe mein Buch und meine Brille ein.
◐ Ich packe meinen Koffer. Ich packe mein Buch, meine Brille und meinen ...

4 Zufrieden im Job? **Sprechen Sie im Kurs über die Statistik.**

	USA	Kanada	Israel	Australien	Großbritannien	Deutschland	Japan
Ich liebe meine Arbeit.	30	24	20	18	17	12	9
Es ist nur ein Job.	54	60	65	63	63	70	72
Ich hasse meine Arbeit.	16	16	15	19	20	18	19

Angaben in Prozent

30 von 100 Berufstätigen in den USA sagen: „Ich liebe meine Arbeit."

Zwölf von 100 Berufstätigen in Deutschland lieben ihre Arbeit, 70 von 100 sagen: „Es ist nur ein Job."

ABC

1 Berufe

a) **Welcher Beruf ist das? Ordnen Sie zu.**

> die Krankenschwester – der Taxifahrer – der Koch –
> die Sekretärin – die Floristin – der Ingenieur

1. .... 3. .... 5. ....

2. .... 4. .... 6. ....

b) **Welche weiteren Berufe kennen Sie? Schreiben Sie. Arbeiten Sie mit dem Wörterbuch.**

1. .... 3. ....

2. .... 4. ....

2 Interviews über Berufe. **Was ist richtig? Hören Sie und kreuzen Sie an.**

2.02

1. Abbas Samet ist ...
   - ☐ Taxifahrer in Düsseldorf und Bochum.
   - ☐ Taxifahrer in Dortmund und Düsseldorf.
   - ☐ Taxifahrer in Bochum und Dortmund.

2. Anna Zimmermann arbeitet als ...
   - ☐ Floristin in Leonberg.
   - ☐ Floristin in Stuttgart.
   - ☐ Friseurin in Stuttgart.

3. Simon Winter ist ...
   - ☐ Ingenieur in Freiburg.
   - ☐ Ingenieur in Freiburg und Bern.
   - ☐ Ingenieur in Bern.

4. Frieda Neumann arbeitet in ...
   - ☐ Graz als Ärztin.
   - ☐ Gießen als Floristin.
   - ☐ Graz als Krankenschwester.

3 Nach dem Beruf fragen. **Schreiben Sie die Fragen. Es gibt verschiedene Möglichkeiten.**

1. ....? Ich bin Ärztin von Beruf.

2. ....? Sebastian arbeitet als Verkäufer in Leipzig.

3. ....? Ulrike und ich arbeiten als Lehrer in Erfurt.

4. ....? Beruflich? Ich bin Zahnarzt in Zürich.

4 Was machen die Personen?

a) Wie heißen die Berufe für Frauen? Ergänzen Sie.

1. der Florist ....
2. der Sekretär ....
3. der Lehrer ....
4. der Koch ....
5. der Ingenieur ....

6. der Friseur ....
7. der Mechatroniker ....
8. der Arzt ....
9. der Verkäufer ....
10. der Hausmann ....

b) Ergänzen Sie die Berufe.

1. Dunja Osman ist .... von Beruf. Sie plant und baut Straßen.
2. Katrin Brill hat vier Kinder und arbeitet gerade nicht. Sie ist ....
3. Angelina Brown kocht sehr gern. Sie arbeitet als ....
4. Hoa Minh arbeitet als .... Sie verkauft Schuhe.
5. Barbara Kube arbeitet als .... Sie repariert Autos.
6. Christiane Rauch untersucht Patienten. Sie ist .... von Beruf.
7. Ella Groß ist .... Sie schneidet Haare.
8. Marta Helbig verkauft Blumen. Sie arbeitet als .... in Göttingen.
9. Anne Miller ist .... Sie unterrichtet Deutsch.
10. Maja Heller telefoniert viel und schreibt E-Mails. Sie ist ....

c) Wo arbeiten die Personen in b)? Ergänzen Sie.

1 B A U
2 Z U
3
4
E
N
5 W E R K S T A T T
6
7
8 G   Ä
9
10

d) Wie heißt das Lösungswort?

Lösungswort:

Was ist er von Beruf? Er ist ....

5 Berufe im Internet

a) **Was ist Benjamin von Beruf? Lesen Sie den Text „Über mich" und ergänzen Sie den Beruf.**

b) **Benjamin stellt sich vor. Hören Sie und ergänzen Sie weitere Informationen.**
2.03

6 Berufswörter. **Sammeln Sie Wörter zu den Berufen.**

der Friseur: ....

die Sekretärin: ....

7 Berufe raten
2.04

a) **Welche Berufe sind das? Hören Sie und bringen Sie die Berufe in die richtige Reihenfolge.**

a ☐ die Taxifahrerin   d ☐ der Friseur
b ☑ 1 der Kfz-Mechatroniker   e ☐ der Verkäufer
c ☐ die Sekretärin   f ☐ die Ärztin

b) **Hören Sie noch einmal und schreiben Sie zu den Berufen aus a) einen Satz.**

Die Taxifahrerin fährt in die Zillestraße 9.

8 *ng* oder *nk*?
2.05

a) **Hören Sie und ergänzen Sie.**

1. Kra.....enpfleger   3. la....   5. Wohnu.....

2. Süde.....land   4. de.....en   6. Ba....

b) **Hören Sie noch einmal und sprechen Sie nach.**

9 Visitenkarten im Gespräch

a) Welche Informationen finden Sie? Ordnen Sie zu.

die Adresse – der Arbeitsplatz – die E-Mail-Adresse – der Name –
der Beruf – die Telefonnummer – ~~der Titel~~ – die Handynummer

....

Städtische Kliniken Jena
Allgemeinmedizin

....

der Titel ——— **Dr. med. Matthias Roth** ———   ....

....   **Chefarzt**

Eichplatz 32–34
07743 Jena   ....
.... ——— Tel.   036 41 / 123-65 44-0
Mobil   0178 / 123 654 45 ———
....
E-Mail   roth@klinikenjena.de ———
....

b) Welche Karte passt? Hören Sie und kreuzen Sie an.

2.06

Martina Kaiser	**Maren Kaiser**	**Maren Kaiser**
Programmiererin	Programmiererin	Computerexpertin
Brüder & Hansen Otto-Brenner Straße 78 30159 Hannover Tel.: 0511 / 906423 E-Mail: M.Kaiser@Programmiererin.de	Brüder & Hansen Jacobstraße 35 06110 Halle 0345 / 64381 Kaiser@bruederhansen.de	Breitung & Heller Kieler Straße 145 22769 Hamburg 040 / 437621 maren-kaiser@b-h.de
☐	☐	☐

c) Hören Sie noch einmal. Richtig oder falsch? Kreuzen Sie an und korrigieren Sie die falschen Aussagen.

	richtig	falsch
1. Frau Kaiser kommt aus Halle.	☐	☐
2. Sie hat drei Kinder.	☐	☐
3. Ihr Mann ist Programmierer.	☐	☐
4. Sie arbeitet seit sechs Jahren bei einer Firma.	☐	☐

10 Vera oder Martin? **Lesen Sie die Texte auf Seite 134 und schreiben Sie Sätze mit den Verben.**

1. telefonieren   ....

2. informieren   ....

3. reservieren   ....

4. reparieren   ....

5. kontrollieren   ....

6. organisieren   ....

11 Wortschatz üben. **Was passt nicht? Streichen Sie durch.**

1. im Büro   sitzen – arbeiten – ~~reparieren~~
2. eine Party   organisieren – kochen – machen
3. Kunden am Telefon   schreiben – beraten – informieren
4. einen Kurs   planen – treffen – leiten
5. ein Flugticket   reservieren – haben – hören
6. Freunde   treffen – sehen – korrigieren

12 Traumberuf: Erzieherin. Ein Interview

🔊 **a) Hören Sie und sprechen Sie die 👄-Rolle im Dialog.**

2.07

👂 ...

👄 Ja, sehr. Es ist mein Traumberuf.

👂 ...

👄 Ich kann jeden Tag mit Kindern arbeiten. Ich muss nicht im Büro am Computer sitzen. Das ist super!

👂 ...

👄 Ich kann gut Gitarre spielen und singen. Also singe ich oft mit den Kindern.

👂 ...

👄 Ich muss sehr früh aufstehen. Und ich kann nicht viel Geld verdienen.

👂 ...

b) Lesen Sie die Antworten noch einmal und sammeln Sie Vor- und Nachteile.

Vorteile: ....

....

....

Nachteile: ....

....

....

c) Was bedeuten die Verben? Ordnen Sie die Sätze mit *können* und *müssen* aus a) zu.

(nicht) können *ich mache etwas gut*	**(nicht) können** *es ist (nicht) möglich*	**(nicht) müssen** *es ist (nicht) meine Pflicht*
	Ich kann jeden Tag mit	

13 Traumberuf: Trainer im Fitness-Studio. **Ergänzen Sie _müssen_ oder _können_.**

Ich bin Trainer in einem Fitness-Studio. Das ist mein Traumberuf. Da ....

ich morgens lange schlafen, denn meine Arbeit beginnt erst um zehn Uhr. Ich

.... die Sportgeräte kontrollieren und den Plan für die Sportkurse

schreiben. Am Samstag .... ich auch arbeiten, aber am Sonntag und

Montag habe ich frei. Am Sonntag .... ich meine Freundin treffen.

Leider .... sie am Montag arbeiten. Wir .... uns nicht

oft sehen. Nächstes Jahr arbeiten wir zusammen in Spanien. Wir ....

dort auch viel privat zusammen machen.

14 Fragen an eine Call-Center-Agentin. **Schreiben Sie die Antworten.**

1. Kannst du viele Sprachen sprechen? (ja, drei Sprachen)

   Ja, ich .... (_kann_ ....) _drei Sprachen_ .... (_sprechen._ ....)

2. Musst du als Call-Center-Agentin am Wochenende arbeiten? (ja, am Samstag)

   .... (....................) .... (....................)

3. Müsst ihr immer freundlich sein? (ja, am Telefon)

   .... (....................) .... (....................)

4. Kann deine Tochter dir helfen? (nein, nicht kochen)

   .... (....................) .... (....................)

5. Musst du früh aufstehen? (ja, um 6.30 Uhr)

   .... (....................) .... (....................)

6. Müsst ihr viel mit dem Computer arbeiten? (nein, viel telefonieren)

   .... (....................) .... (....................)

15 Was muss und kann eine Erzieherin machen? **Schreiben Sie Sätze.**

1. nicht viel am Computer arbeiten müssen   _Sie muss nicht viel am Computer arbeiten._ ....

2. mit Kindern arbeiten können   ....

3. nicht viel Geld verdienen können   ....

4. gern spielen und singen müssen   ....

5. viel draußen sein können   ....

6. nicht am Wochenende arbeiten müssen   ....

16 Flüssig sprechen. **Hören Sie und sprechen Sie nach.**

2.08

1. Kristina muss aufstehen. – Kristina muss um 7.30 Uhr aufstehen. – Kristina muss jeden Morgen um 7.30 Uhr aufstehen.
2. Sie kann gehen. – Sie kann zur Arbeit gehen. – Sie kann zu Fuß zur Arbeit gehen.
3. Sie muss arbeiten. – Sie muss bis 17 Uhr arbeiten. – Sie muss jeden Tag bis 17 Uhr arbeiten.
4. Sie kann lesen. – Sie kann ein Buch lesen. – Sie kann am Abend ein Buch lesen.

17 Meinungen über die Arbeit

a) **Lesen Sie den Text und markieren Sie die Artikelwörter im Akkusativ.**

Ich mag meinen Job und unsere Chefin. Ich bin Köchin in einem Restaurant in Düsseldorf. Mein Bruder Max arbeitet hier als Kellner. Ich finde unser Team super, die Atmosphäre ist gut. Nur meine Arbeitszeiten mag ich nicht. Ich muss in der Nacht arbeiten und habe keine Pausen. Aber am Wochenende habe ich frei. Dann räume ich meine Wohnung auf, lese ein Buch oder meine E-Mails.

Ute Heinze

b) **Ergänzen Sie die Possessivpronomen im Akkusativ.**

☐ 1. Ich mag .... Chefin.

☐ 2. Am Wochenende räume ich .... Wohnung auf.

☐ 3. Ute braucht .... Brille.

☐ 4. Ute mag .... Arbeitszeiten nicht.

☐ 5. Max findet .... Chefin gut.

☐ 6. In der Pause liest Max .... E-Mails.

c) **Was sagt Ute nicht im Text? Lesen Sie noch einmal und kreuzen Sie in b) an.**

18 Welchen Beruf hat sie/er? **Ergänzen Sie die Artikelwörter im Nominativ oder Akkusativ.**

1. Das ist Petra May. Bei ihrer Arbeit braucht sie einen Computer und ein........ großen Schreibtisch. Sie schreibt Computerprogramme. D........ Telefon ist wichtig für sie. Sie muss ihr........ Kunden oft anrufen. Sie arbeitet allein im Büro.
   Welchen Beruf hat sie? ....

Petra May

2. Mein Freund begrüßt sein........ Kunden in einem Geschäft. Er arbeitet von Dienstag bis Samstag, am Montag hat er frei. Bei der Arbeit braucht er kein........ Computer, aber ein........ Schere. Er berät sein........ Kunden. Dann schneidet er Haare.
   Welchen Beruf hat er? ....

Olaf Weinberg

Fit für Einheit 8? Testen Sie sich!

Mit Sprache handeln

über Berufe sprechen

Ich bin ....

(Florist/in – mit Händen arbeiten – viele Leute treffen – früh aufstehen) ▸ KB 1.3, 2.1, 3.2–3.5

Tagesabläufe und Tätigkeiten beschreiben

um 6.30 Uhr aufstehen   *Ich muss* ....

bis 17 Uhr arbeiten   ....

von 19 bis 20 Uhr Sport machen .... ▸ KB 4.1, 4.3

jemanden oder sich vorstellen

Guten Tag, mein Name ist ....

Ich bin ....

Hier ist meine Karte.

▸ KB 2.4, 2.5

Wortfelder

Berufe

die Köchin und der ....   die .... und der Arzt

die Ingenieurin und der ....   die .... und der Friseur ▸ KB 1.1, 2.1, 2.2

Grammatik

Modalverben *können* und *müssen*

mit Kindern arbeiten können *Ich kann* ....

früh aufstehen müssen   .... ▸ KB 3.5, 4.2

Artikelwörter im Akkusativ

Ich habe ein..... Computer und ein..... Büro. Ich liebe mein..... Arbeit.

Meine Kollegin muss unser..... Kunden anrufen. Mein Kollege liest sein..... E-Mails. ▸ KB 5.1

Aussprache

2.09

***ng* oder *nk*?**

das Kra.....enhaus – die Projektleitu..... – die Fu.....tion – die Bezeichnu..... ▸ KB 2.3

8 Berlin sehen

Hier lernen Sie

▶ Sehenswürdigkeiten in Berlin kennen
▶ nach dem Weg fragen, einen Weg beschreiben
▶ von einer Reise erzählen
▶ eine Postkarte schreiben

1 Mit der Linie 100 durch Berlin

5 **die Staatsoper**

1 **die Humboldt-Universität** 2 **das Brandenburger Tor**

3 **der Reichstag** 4 **das Bundeskanzleramt** 6 **der Alexanderplatz**

---

1 **Berlin. Welche Sehenswürdigkeiten kennen Sie?**

2 **Die Berlin-Exkursion**

Ü1–3

a) Lesen Sie den Text. Was wollen die Studenten machen?

„Die Berlin-Exkursion hat Tradition. Jedes Jahr fahren wir mit Studenten aus Jena nach Berlin. Im Programm ist immer ein Spaziergang durch das Regierungsviertel. Die Studenten wollen den Reichstag besichtigen, über einen Flohmarkt bummeln und am Abend wollen sie ins Theater gehen. Ein Hit ist die Fahrt mit dem Bus Linie 100. Man kann mit dem Bus vom Bahnhof Zoo bis zum Alexanderplatz fahren. Viele Sehenswürdigkeiten liegen an der Linie 100. Eine Stadtrundfahrt mit der Linie 100 ist billig. Aber der Bus ist oft sehr voll. Besonders beliebt ist die erste Reihe oben. Hier kann man gut fotografieren."

Dr. Bettermann,
Exkursionsleiter

b) Lesen Sie den Busplan. Zu welchen Fotos gibt es eine Haltestelle? Markieren Sie.

einhundertsechsundvierzig

 100

Hertzallee S + U Zoologischer Garten Breitscheidplatz Bayreuther Str. Schillerstr. Lützowplatz Nord. Botschaften/Adenauer-Stiftg. Großer Stern Schloss Bellevue Haus der Kulturen

7 der Berliner Bär

der Bus Linie 100

8 das Haus der Kulturen der Welt

Berlin-Exkursion vom 26. – 29. Juni

Programm

Donnerstag, 26. Juni

8.30 Uhr	Abfahrt Busbahnhof Jena
14.00 Uhr	Ankunft Berlin Comfort-Hotel Lichtenberg
15.30 Uhr	Abfahrt zum Deutschen Theater, Karten kaufen
bis 19.00 Uhr	frei, Stadtbummel, z.B. Friedrichstraße, Unter den Linden
19.30 Uhr	Deutsches Theater

Freitag, 27. Juni

die Teilnehmerinnen und Teilnehmer der Berlin-Exkursion

))) 🎧 c) **Herr Dr. Bettermann leitet die Exkursion und erklärt die Route. Hören Sie und**
2.03   **bringen Sie die Sehenswürdigkeiten in die richtige Reihenfolge.**

- ☐ das Brandenburger Tor
- ☐ das Schloss Bellevue
- ☐ das Bundeskanzleramt
- ☐ der Reichstag
- ☐ die Friedrichstraße
- ☐ die Humboldt-Universität

- ☐ der Berliner Dom
- ☐ die Staatsoper
- ☐ die Alte Nationalgalerie
- ☐ der Potsdamer Platz
- ☐ der Fernsehturm
- ☐ das Sony Center

3 Wortfeld Großstadt. **Sammeln Sie.**
Ü4

das Hotel

die Großstadt

ABC 📖

Platz der Republik • Reichstag/Bundestag • S + U Brandenburger Tor • Unter den Linden/Friedrichstr. • Staatsoper • Lustgarten • Spandauer Str./Marienkirche • S + U Alexanderplatz • S + U Alexanderplatz/Memhardstr.

einhundertsiebenundvierzig

2 Wie komme ich zur Friedrichstraße?

1 Nadine und Steffi wollen einkaufen und suchen die Friedrichstraße. Sie sind am
Ü5 Brandenburger Tor.

a) Lesen Sie die Dialoge und finden Sie den Weg auf der Karte.

1

💬 Entschuldigung, wo geht's denn hier zur Friedrichstraße?

👤 Ich weiß nicht. Ich glaube, das ist ziemlich weit. Nehmen Sie doch den Bus.

💬 Hm. Vielen Dank.

2

💬 Entschuldigung, wir wollen zur Friedrichstraße. Können Sie uns helfen?

👤 Oh, keine Ahnung, ich bin auch Tourist.

3

💬 Entschuldigung, wo ist bitte die Friedrichstraße?

👤 Die Friedrichstraße? Das ist ganz einfach. Gehen Sie hier geradeaus durch das Brandenburger Tor, Unter den Linden entlang und dann die dritte Querstraße – das ist die Friedrichstraße.

💬 Vielen Dank!

👤 Gern!

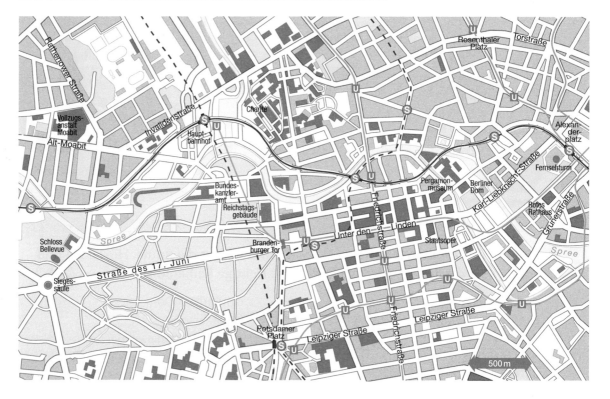

b) Üben Sie die Dialoge mit Ihrer Partnerin / Ihrem Partner.

🔊 **2** **Von hier nach da.** Wo sind die Touristen? Wohin gehen sie? Hören Sie und zeichnen Sie
2.04 Ü6 den Weg auf der Karte ein.

3 Aussprache *r*

2.05
Ü7

a) *r* wie *Reichstag* oder *r* wie *Fernsehturm*? Hören Sie die Wörter und ordnen Sie zu.

man hört das r	man hört das r nicht
Reichstag	Fernsehturm

b) *r* am Silbenende. Hören Sie und sprechen Sie nach.
2.06

zur Friedrichstraße – Wo geht's hier zur Friedrichstraße?
hier geradeaus – Gehen Sie hier geradeaus.
das Brandenburger Tor – durch das Brandenburger Tor
die Querstraße – die zweite Querstraße – und dann die zweite Querstraße links

4 Eine Wegbeschreibung
Ü8–10

a) **Machen Sie ein Lernplakat mit Orten in Ihrer Stadt.**

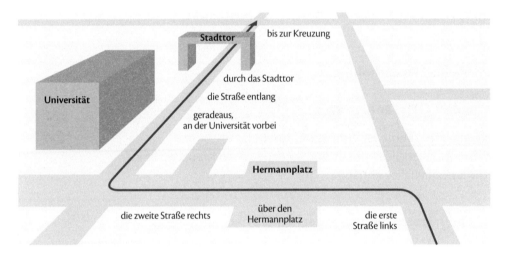

b) **Wählen Sie Start- und Zielpunkte. Fragen Sie nach dem Weg und antworten Sie.**

Redemittel

so kann man fragen

Entschuldigung,	wir suchen einen Flohmarkt / ein Café / eine Bank.
	wo ist die Friedrichstraße / der Reichstag?
	wie komme ich zum Alexanderplatz, bitte?
	wo geht es zur Schlossbrücke?

so kann man antworten

Zuerst	gehen Sie hier	rechts/links / bis zur Kreuzung / zur Ampel.
		geradeaus die ... straße entlang.
Dann	die erste/zweite/... Straße links/rechts.	
Danach	links, an der/dem ... vorbei.	
	Dann sehen Sie den/das/die ...	

jemandem danken und antworten

Danke! / Danke schön! / Vielen Dank! Bitte! / Gern! / Gern geschehen!

ABC

3 Wohin gehen die Touristen?

1 Nach dem Weg fragen

2.07
Ü11

a) **Hören Sie und üben Sie den Dialog.**

💬 Entschuldigung, wie komme ich zum Bahnhof?

👍 Zum Bahnhof? Das ist ganz einfach. Gehen Sie hier geradeaus, die Kaiserstraße entlang und ...

💬 Moment, geradeaus, die Kaiserstraße entlang. Ja?

👍 Ja, und dann an der vierten Kreuzung rechts ...

💬 Also, an der vierten Kreuzung rechts?

👍 Genau, und dann bis zur Ampel geradeaus.

💬 Bis zur Ampel?

👍 Ja, bis zur Ampel. Links sehen Sie die Bahnhofstraße und den Bahnhof.

💬 Also, Moment ... ich gehe hier die Kaiserstraße entlang und dann an der vierten Kreuzung rechts bis zur Ampel. Dann komme ich zum Bahnhof.

👍 Ja, genau.

💬 Vielen Dank!

👍 Gerne!

b) **Markieren Sie die Wiederholungen.**

c) **Üben Sie: andere Orte, andere Wege.**

💬 Entschuldigung, wie komme ich zum Stadtmuseum?

👍 Gehen Sie die Kastanienallee entlang und an der zweiten Kreuzung links.

💬 Aha, also die Kastanienallee entlang ...

2 Aussprache *l* und *r*. **Hören Sie und sprechen Sie nach.**

2.08 **Ü12**

rechts und links
nach links fahren
an der Ampel rechts
an der Ampel geradeaus

an der Kreuzung links
die Straße entlang
über die Schlossbrücke
die Nationalgalerie

> *LICHTUNG*
>
> *manche meinen,*
> *lechts und rinks*
> *kann man nicht velwechsern,*
> *werch ein illtum*
>
> *ernst jandl*

3 Wortfeld Tourismus. **Sammeln Sie.**

Ü13

was Touristen sehen	was Touristen tun	was Touristen brauchen
die Kirche	etw. besichtigen	eine Kamera
die Oper	etw. suchen	den Bus
	Geschenke einkaufen	eine Bank

4 Touristen in Ihrer Stadt.
Was besichtigen sie? Was fragen sie?
Was machen sie?

 Tourist-Information
Rathausplatz 3 · Neues Rathaus
Mo–Fr 8:30–18 Uhr, Okt bis 17 Uhr
Sa, So, Feiertage 9–16 Uhr

5 Wohin gehen die Touristen? **Ergänzen Sie.**

Ü14–15

Die Touristen gehen ...

....

Grammatik

in, durch, über + Akkusativ

Die Touristen	gehen	in den Park. / ins Museum. / in die Galerie.
	fahren	durch den Park. / durch das Stadttor. /
	laufen	durch die Fußgängerzone.
		über den Marktplatz. / über das Messegelände. /
		über die Schlossbrücke.

zu, an ... vorbei + Dativ

Die Touristen	gehen	zum Stadion. / zum Zoo. / zum Bahnhof.
	fahren	zur Touristeninformation. / zur Schlossbrücke.
	laufen	an der Universität vorbei. / am Bahnhof vorbei.

Minimemo

in das = ins
zu dem = zum
zu der = zur
an dem = am

6 Pläne für Berlin. **Was wollen die Studenten tun? Sammeln Sie Beispiele im Text auf Seite 146.**

Ü16

Modalverb   Verb (Infinitiv)

Die Studenten (wollen) Sehenswürdigkeiten (besichtigen) .

7 Orientierungsspiel.
Spielen Sie im Kurs.

> Wie komme ich zur Sprachschule?

> Die erste rechts, am Museum vorbei und dann wieder rechts.

8 Mit einem Stadtplan üben. **Markieren Sie Start und Ziel. Führen Sie Dialoge.**

> Entschuldigung, wie komme ich zum Bahnhof?

> Gehen Sie an der Ampel rechts und ...

ABC

4 Die Exkursion

1 Gute Tipps für Berlin. **Wer sagt was? Lesen Sie und ordnen Sie zu.**

Flohmarkt am Mauerpark

Tanja Cherbatova

Tanja findet Berlin super. Die Exkursion hat ihr Spaß gemacht: der Flohmarkt, die Disko, der Potsdamer Platz. „Berlin ist sehr modern", sagt sie. Das gefällt ihr. In der Gruppe war eine tolle Atmosphäre. Das ist auch gut für das Studium, man lernt die anderen Studenten gut kennen. Tanja sagt, sie kennt leider keine Berliner. Sie möchte bald wieder nach Berlin fahren.

Marcel Schreiber

Marcel findet die Berlin-Exkursion auch toll, aber zu kurz. Man braucht mehr Zeit für die Stadt. Er will wieder nach Berlin fahren. Er interessiert sich für Architektur. Modern, klassisch, alt, neu – hier gibt es alles. Er hat ein Fahrrad gemietet und war abends unterwegs. Marcel hat 200 Fotos gemacht.

Nordische Botschaft

M	besichtigt gern Häuser.	☐	mag das moderne Berlin.
☐	findet die Gruppe gut.	☐	ist sportlich und gern unterwegs.
☐	hat viel fotografiert.	☐	mag Musik und Diskos.

2 Eine Postkarte aus Berlin

Ü17–19

a) **Lesen Sie die Karte und vergleichen Sie mit dem Programm rechts. Welcher Tag ist das?**

Hallo Carla,
Berlin ist cool! Heute wollen wir eine Stadtrundfahrt machen. Dann besuchen wir den Reichstag und besichtigen das Brandenburger Tor. Zum Schluss wollen wir bummeln, und abends im Club 21 feiern.

Liebe Grüße
dein Marcel

Carla Schmidt
Neugasse 22
07740 Jena

b) **Lesen Sie die Strategien und schreiben Sie eine Postkarte. Die Informationen finden Sie im Programm.**

1. Planen
   – Informationen sammeln und ordnen
   – Redemittel sammeln

2. Schreiben
   – Sätze schreiben und verbinden

3. Überarbeiten
   – kontrollieren, korrigieren, neu formulieren

Beispiel

> Stadtrundfahrt, Theater, ...
> Heute wollen wir ... / Es war ... /
> Wir besuchen auch ...

> Gestern ... / Heute ... / Zuerst / ...

> Liebe/r ...,
>
> schöne Grüße aus Berlin. Heute
>
> wollen wir ...

Berlin-Exkursion vom 26. – 29. Juni — Programm

Donnerstag, 26. Juni	
8.30 Uhr	Abfahrt Busbahnhof Jena
14.00 Uhr	Ankunft Berlin Comfort-Hotel Lichtenberg
15.30 Uhr	Abfahrt zum Deutschen Theater, Karten kaufen
bis 19.00 Uhr	frei, Stadtbummel, z.B. Friedrichstraße, Unter den Linden
19.30 Uhr	Deutsches Theater

Freitag, 27. Juni	
8.30 Uhr	Frühstück im Hotel
9.30 Uhr	Stadtrundfahrt: Mitte, Unter den Linden, Brandenburger Tor, Bundeskanzleramt, Museumsinsel, Schloss Bellevue, Reichstag
14.30 – 16.00 Uhr	Besuch im Reichstag
16.00 – 18.00 Uhr	Bummeln im Regierungsviertel
Abends	Freizeit

Samstag, 28. Juni	
8.30 Uhr	Frühstück im Hotel
9.30 Uhr	Thematische Stadtführung in Gruppen
	a) Bertolt Brecht in Berlin
	b) Jüdische Kultur in Berlin
	c) Die Berliner Mauer
14.30 – 18.00 Uhr	Christopher Street Day, Besuch der Parade
Abends	Freizeit

Sonntag, 29. Juni	
8.30 Uhr	Frühstück im Hotel
9.30 Uhr	Museumsbesuch: Museumsinsel
14.00 Uhr	Rückfahrt

3 Projekt: Internetrallye „Berlin sehen". **Machen Sie einen virtuellen Spaziergang.**

Wählen Sie drei Stadtviertel: Mitte, ...
– Was kommt heute im Kino?
– Finden Sie drei Theater. Vergleichen Sie das Programm. Was gefällt Ihnen heute?
– Was kosten die Karten?
– Gibt es diese Woche ein interessantes Konzert?

ABC

1 Worträtsel. **Finden Sie die Wörter. Der Text auf Seite 146 hilft.**
Wie heißt das Lösungswort?

1. Durch die Stadt laufen und Eis essen: der ...
2. mit viel Zeit zu Fuß gehen: der ...
3. Hier machen Menschen Politik: das ...
4. Hier verkauft man alte Sachen: der ...
5. Das gibt es schon lange, zum Beispiel die Berlin-Exkursion: die ...
6. Hier kommt man mit dem Zug an: der ...

1	S	T	A	D	T	B	U	M	M	E	L	
2	S						G					
3		G						V				
4						H						
5								N				
6			H			F						

Lösungswort: ....

2 Der Bus Linie 100. **Welche Aussagen finden Sie im Text auf Seite 146?**
Kreuzen Sie an und ergänzen Sie die Zeile.

1. ☐ Die Linie 100 fährt an vielen Sehenswürdigkeiten vorbei.   Zeile ....
2. ☐ Das Ticket kostet nicht viel.   Zeile ....
3. ☐ Der Bus fährt zur Humboldt-Universität.   Zeile ....
4. ☐ Der Bus fährt täglich.   Zeile ....
5. ☐ In dem Bus sind oft viele Personen.   Zeile ....

3 Herr Dr. Bettermann und die Exkursion

a) **Welche Orte nennt Herr Dr. Bettermann? Hören Sie noch einmal und kreuzen Sie an.**

2.10
1. ☐ das Schloss Bellevue
2. ☐ das Haus der Kulturen der Welt
3. ☐ das Bundeskanzleramt
4. ☐ die Friedrichstraße
5. ☐ der Bahnhof Zoo
6. ☐ das Deutsche Theater
7. ☐ Unter den Linden
8. ☐ der Kurfürstendamm

das Schloss Bellevue

b) **Welche Aussage ist von Herrn Dr. Bettermann? Kreuzen Sie an.**

1. ☐ Der Bundespräsident sitzt im Schloss Bellevue.
2. ☐ Das Bundeskanzleramt nennen die Berliner auch „Waschmaschine".
3. ☐ Entlang der Straße „Unter den Linden" gibt es viele Sehenswürdigkeiten.
4. ☐ Der Fernsehturm ist auf dem Alexanderplatz.

4 Berlin kennenlernen

a) **Lesen Sie den Text und ordnen Sie die Fotos zu.**

Berlin in zwei Tagen

☐ Das Bundeskanzleramt – hier wird Politik gemacht! Seit 2001 arbeitet dort der Bundeskanzler bzw. die Bundeskanzlerin. Das Gebäude ist sehr groß und hat eine besondere Architektur.

☐ Musik im „Watergate". Der Club an der Spree ist beliebt. Es gibt internationale DJs und Musiker. Der Musikstil ist Techno und Elektro.

☐ Bummeln in der Friedrichstraße. Die bekannte Straße liegt im Zentrum von Berlin. In den Geschäften kann man gut einkaufen!

☐ Ein Spaziergang „Unter den Linden" – hier gibt es viele Sehenswürdigkeiten und Botschaften. Bekannt sind die Staatsbibliothek oder die Kaiserhöfe.

b) **Lesen Sie noch einmal. Richtig oder falsch? Kreuzen Sie an.**

	richtig	falsch
1. Der Bundespräsident arbeitet im Bundeskanzleramt.	☐	☐
2. Der Club „Watergate" ist am Wasser.	☐	☐
3. In der Friedrichstraße kaufen nur Touristen ein.	☐	☐
4. In der Straße „Unter den Linden" findet man viele Botschaften.	☐	☐

c) **Was ist Ihr Favorit? Schreiben Sie.**

5 Orientierung in der Stadt. **Ordnen Sie die Bilder zu.**

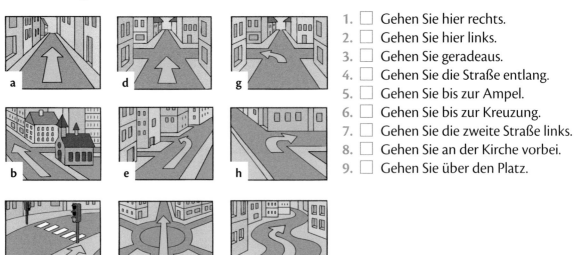

1. ☐ Gehen Sie hier rechts.
2. ☐ Gehen Sie hier links.
3. ☐ Gehen Sie geradeaus.
4. ☐ Gehen Sie die Straße entlang.
5. ☐ Gehen Sie bis zur Ampel.
6. ☐ Gehen Sie bis zur Kreuzung.
7. ☐ Gehen Sie die zweite Straße links.
8. ☐ Gehen Sie an der Kirche vorbei.
9. ☐ Gehen Sie über den Platz.

6 Wegbeschreibung

2.11

a) **Merle Schramm aus Jena will vom Museum zum Schloss. Welcher Dialog ist eingezeichnet? Hören Sie und kreuzen Sie an.**

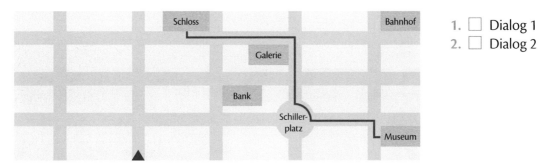

1. ☐ Dialog 1
2. ☐ Dialog 2

b) **Ergänzen Sie die Sätze. Hören Sie den Dialog 2 noch einmal und kontrollieren Sie.**

> zur dritten Kreuzung – rechten Seite – einfach – geradeaus

Ja, das ist ....! Gehen Sie geradeaus bis .... Dann gehen

Sie links und immer weiter .... Das Schloss ist das große Gebäude auf der

....

c) **Hören Sie noch einmal. Zeichnen Sie den zweiten Weg ein.**

7 Aussprache *r*

2.12

a)  wie *Reichstag* oder wie *Fernsehturm*? **Hören Sie und markieren Sie.**

1. eine Route planen – vom Stadttor erzählen – Tourist auf dem Reuter-Platz
2. hier auf dem Alexanderplatz – die Regierung verstehen – eine Reihe rechts
3. eine Reise in die Großstadt machen – Kultur und Tradition erleben

b) **Hören Sie noch einmal und sprechen Sie nach.**

8 Textkaraoke. **Hören Sie und sprechen Sie die 👄-Rolle im Dialog.**

2.13

👂 ...

👄 Ja, gehen Sie geradeaus und an der nächsten Kreuzung rechts.
Dann die nächste Straße links.

👂 ...

👄 Nein, an der nächsten Kreuzung rechts.

👂 ...

👄 Die Bank ist das große moderne Haus auf der rechten Seite.

👂 ...

👄 Na ja, etwa fünf Minuten.

👂 ...

9 Orientierung mit dem Stadtplan

a) **Schreiben Sie den Dialog.**

👌 Entschuldigung – Ernst-Reuter-Platz? ....

👌 Zuerst – zur Ampel. ....

Dann – geradeaus – Uhlandstraße entlang ....

Danach links – Dann sehen ....

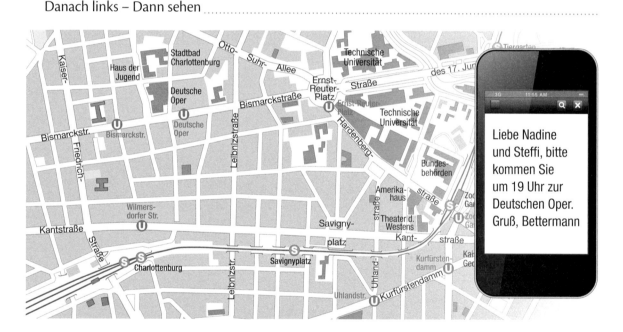

b) **Nadine und Steffi sind im Café am Savignyplatz. Herr Dr. Bettermann will sie an der Deutschen Oper treffen. Wie gehen sie? Schreiben Sie.**

10 Flüssig sprechen. *r* am Silbenanfang. **Hören Sie und sprechen Sie nach.**

2.14

1. das Rote Rathaus. – wir suchen das Rote Rathaus. – Entschuldigung, wir suchen das Rote Rathaus.
2. Oranienburgerstraße. – rechts in die Oranienburgerstraße. – Fahren Sie rechts in die Oranienburgerstraße.
3. Botschaft. – geradeaus zur Russischen Botschaft. – Dann gehen Sie geradeaus zur Russischen Botschaft.

11 Touristen fragen nach

a) **Lesen Sie den Dialog und ergänzen Sie die Wiederholungen.**

🗨 Können Sie mir helfen? Wie komme ich zur Humboldt-Universität?

🗨 *Zur Humboldt-Universität*................? Zuerst gehen Sie hier links.

🗨 Also ....?

🗨 Genau, und dann gehen Sie bis zur dritten Kreuzung geradeaus.

🗨 Ok, ...

🗨 Ja, genau. Auf der linken Seite sehen Sie dann die Humboldt-Universität.

🗨 Dann sehe ich ....?

🗨 Genau!

  b) **Hören Sie und kontrollieren Sie.**

2.15

12 Aussprache *l* und *r*. **Hören Sie und sprechen Sie schnell.**

2.16
1. Franzi läuft in den Park.
2. über den Marktplatz
3. rechts zur Schlossbrücke
4. an der Ampel vorbei
5. links durch den Garten

13 Touristen in Berlin. **Lesen Sie den Zeitungsartikel und stellen Sie drei Fragen zum Text.**

Touristen lieben Berlin

Berlin ist beliebt bei Jung und Alt, bei Deutschen und Ausländern. Die Touristen kommen aus Großbritannien, Spanien, Italien oder den USA. Berlin hat 20 Millionen Übernachtungen im Jahr. Rom hat 18,6 und Madrid 13,7. Nach Berlin kommen mehr Touristen als nach Rom und Madrid. Viele Touristen besuchen das Brandenburger Tor.

1. Woher ....?

   Die Touristen kommen aus Großbritannien, Spanien, Italien und den USA.

2. Wie viele ....?

   Im Jahr hat Berlin 20 Millionen Übernachtungen.

3. Was ....?

   Viele Touristen besuchen das Brandenburger Tor.

14 Der Touristenführer Erkan. **Lesen Sie den Text und ergänzen Sie die Wörter.**

Alexanderplatz – Museen – Regierungsviertel – Einkaufsstraßen

Ich arbeite seit drei Jahren als Touristenführer in Berlin.

Die Touristen gehen gern in ....,

sie lieben zum Beispiel das Pergamonmuseum und die

Alte Nationalgalerie. Viele wollen in Berlin einkaufen.

Sie laufen durch ....,

Erkan, 23, Student und Reiseführer

beliebt ist die Friedrichstraße. Die Touristen wollen auch die Sehenswürdigkeiten sehen. Mit dem Bus

fahren Sie zum .... Dort gehen Sie in den Reichstag oder ins Bundeskanzleramt.

Am Abend laufen sie oft über den .... Dort gibt es viele Bars und Diskos.

15 Besuch in Berlin

a) **Ergänzen Sie die Präpositionen.**

in die – am – in den – über die – zum

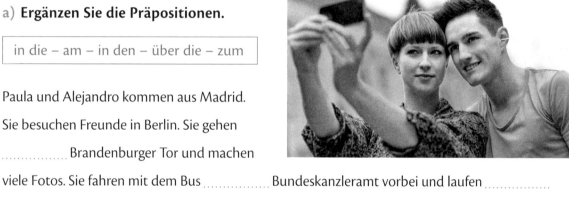

Paula und Alejandro kommen aus Madrid.

Sie besuchen Freunde in Berlin. Sie gehen

.... Brandenburger Tor und machen

viele Fotos. Sie fahren mit dem Bus .... Bundeskanzleramt vorbei und laufen ....

Schlossbrücke. Am Nachmittag gehen sie .... Berliner Dom und hören ein Konzert.

Am Abend essen sie Pizza und gehen danach .... Disko „Wilde Renate".

 b) **Hören Sie und kontrollieren Sie.**
2.17

 c) **Was machen Paula und Alejandro am nächsten Tag?**
2.18   **Hören Sie und nummerieren Sie.**

☐ Freunde treffen
☐ durch den Park laufen
☐ über den Flohmarkt bummeln
☐ lange schlafen
☐ zur Museumsinsel fahren
☐ in den Zoo gehen
☐ ins Museum gehen
☐ in einem Restaurant essen

16 **Berlin ist super! Lesen Sie die SMS. Markieren Sie das Modalverb** *wollen* **und das Verb im Infinitiv.**

Hi Julia! Berlin ist super! Die Stadt ist echt klasse. Wir wollen gleich noch
eine Stadtrundfahrt machen. Danach will ich in die Nationalgalerie gehen.
Anschließend wollen Maria und ich auf der Friedrichstraße bummeln.
Und heute Abend wollen wir noch ein Musical sehen! Ich muss los ...
LG Carla

17 **Wie war es in Berlin? Sammeln Sie Vor- und Nachteile der Exkursion aus dem Text auf Seite 152.**

	Vorteile	Nachteile
Tanja	....	....
Marcel	....	....

18 **Die Berlin-Exkursion**

a) **Was wollen die Studenten in Berlin machen? Lesen Sie noch einmal das Programm auf Seite 153 und die Aussagen. Richtig oder falsch? Kreuzen Sie an.**

	richtig	falsch
1. die Museumsinsel besuchen	☐	☐
2. zur Christopher Street Day Parade gehen	☐	☐
3. einen Stadtbummel in Kreuzberg machen	☐	☐
4. das Regierungsviertel besuchen	☐	☐
5. den Berliner Dom besichtigen	☐	☐
6. in den Botanischen Garten gehen	☐	☐

b) **Schreiben Sie Sätze mit** *wollen*. **Korrigieren Sie die falschen Aussagen.**

1. Die Studenten wollen die Museumsinsel besuchen.
2. Sie wollen ...

19 **Und Sie? Was wollen Sie in Berlin machen?**

a) **Lesen Sie und kreuzen Sie an.**

☐ Ich will im Regierungsviertel bummeln. ☐ Ich will den Reichstag besuchen.
☐ Ich will ins Deutsche Theater gehen. ☐ Ich will ins Jüdische Museum gehen.

b) **Schreiben Sie zwei weitere Sätze.**

....

....

Fit für Einheit 9? Testen Sie sich!

Mit Sprache handeln

nach dem Weg fragen, den Weg beschreiben

💬 Entschuldigung, ... der Flohmarkt?

👄 Zuerst gehen Sie ...., dann gehen Sie bis zur Kreuzung und

danach sehen Sie den Flohmarkt .... ▸ KB 2.1, 2.4

von einer Reise erzählen / eine Postkarte schreiben

.... wollen wir eine Stadtrundfahrt .... Dann .... wir

in das Bodemuseum .... und am Abend ins Theater .... ▸ KB 4.2

durch Wiederholungen memorisieren

💬 Wie komme ich zum Alexanderplatz?

👄 .... ? Das ist ganz einfach! ▸ KB 3.1

Wortfelder

Wortfeld Großstadt

das Hotel, die Sehenswürdigkeit, das Museum, ... ▸ KB 1.3

Tourismus systematisch

eine Kirche ...., nach dem Weg ...., ins Museum .... ▸ KB 3.3

Grammatik

Präpositionen
in, durch, über + Akkusativ

Die Studenten gehen .... die Disko.

Sie laufen .... die Brücke.

Sie fahren .... das Stadttor.

zu, an ... vorbei + Dativ

Die Touristen gehen .... Touristeninformation.

Sie fahren .... Regierungsviertel ....

▸ KB 3.5

Aussprache

Konsonant *r* am Silbenanfang oder Silbenende?

hier – Tor – Rathaus – erklären – rechts – Kreuzung ▸ KB 2.3

r und l

....inks – Unte.... den ....inden – das Bundeskanz....e....amt ▸ KB 3.2

Hier lernen Sie

▶ über Ferien und Urlaub sprechen
▶ Urlaubserlebnisse beschreiben
▶ einen Unfall beschreiben
▶ Notizen machen

1 Willkommen im Reiseland Deutschland

a

1. ☐
Für Stadturlauber ist
Heidelberg immer ein
Reiseziel. Viele Touristen
kommen aus dem Aus-
land. Sie können die ro-
mantische Altstadt am
Neckar und das Schloss
besichtigen.

b

c

1 **Topreiseziele in Deutschland**
Ü1

a) **Sehen Sie die Fotos an. Was kennen Sie?**

b) **Lesen Sie die Texte und ordnen Sie
die Fotos zu.**

c) **Lesen Sie noch einmal und sammeln
Sie Wörter.**

Reiseziele	was man sehen/machen kann
die Ostsee: Rügen	....
....	....

  im Wald

 in den Bergen

 in der Altstadt

 am Fluss

d

2. ☐

Sommer, Sonne, Strand und Meer – viele Urlauber machen im Juli und August Ferien an der Ostsee, zum Beispiel auf der Insel Rügen. Eine typisch deutsche Tradition: der Strandkorb.

3. ☐

Die Insel Sylt liegt in der Nordsee. Sie ist lang und schmal. Man kann mit dem Zug auf die Insel fahren. Die Autos müssen auch mit dem Zug fahren. Die Architektur ist interessant: Viele Häuser haben Dächer aus Stroh, die „Reetdach-Häuser".

4. ☐

Viele Urlauber fahren in die Alpen. In den Bergen kann man wandern. Das Schloss Neuschwanstein im Allgäu ist eine Touristenattraktion. Aber eine Besichtigung kostet viel Zeit. Es gibt fast immer Warteschlangen vor dem Schloss.

2 Über Urlaub sprechen

a) **Wo waren die Leute?**
Hören Sie und notieren Sie die Orte.

2.09
Ü2–5

im Allgäu,

b) **Fragen und antworten Sie.**

Redemittel	so kann man fragen	so kann man antworten	
	Wo waren Sie / warst du / wart ihr im Urlaub / in den Ferien?	Ich war / Wir waren	an der Nordsee / am Bodensee / in den Bergen / in Heidelberg / auf (der Insel) Rügen / im Allgäu.
	Und wie war es?	Es war	toll / super / sehr schön / langweilig / nicht so schön.
	Wie war das Wetter / Essen / Hotel?	Das Wetter / Essen / Hotel war	prima / gut / nicht so gut / schlecht.

Wo waren Sie im Urlaub?

Ich war auf Sylt. Es war super!

ABC 📖

im See *am Strand* *auf der Insel* *im Hafen*

2 Familie Mertens im Urlaub

b 1. Tag: 29. Juni
Vormittags Ankunft in Passau. Unsere Radtour beginnt.
Die erste Etappe ist kurz, 27 km.

☐ 2. Tag: 30. Juni
Heute haben wir 71,5 km geschafft – von Engelhartszell
nach Linz. Mittags haben wir eingekauft und dann an
der Donau ein Picknick gemacht. In Linz haben wir in einer
Pension übernachtet. Meine Eltern waren sehr müde!

☐ 3. Tag: 1. Juli
Vormittags haben wir einen Bummel durch Linz
gemacht. Ich habe Linzer Torte probiert, sehr gut!
Mittags Weiterfahrt Richtung Melk. Dort haben
wir das Kloster besucht.

c

☐ 7. Tag: 5. Juli
Nach 326 km: Wien! Das Riesenrad im Prater haben
wir schon angeschaut und fotografiert. Morgen
machen wir einen Tag Pause und besichtigen
die Stadt.

d

☐ 20. Tag: 18. Juli
660 km: Wir haben Budapest erreicht und die Stadt
besichtigt. Die Tour war toll! Budapest ist super!

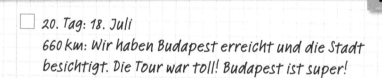

a

b

e

Meine Eltern und meine
Schwester beim Picknick.

1 Der Donau-Radweg. **Durch welche Länder geht er? Arbeiten Sie mit einer Europakarte.**

2 Aus dem Tagebuch von Silvia Mertens (12). **Lesen Sie und ordnen Sie die Fotos den**
Ü6 **Tagen zu.**

3 Ferienwörter. **Finden Sie zwölf Kombinationen.**
Ü7

eine Pause		1. *eine Pause machen*	7. ....
eine Radtour		2.	8. ....
ein Picknick	besichtigen	3.	9. ....
ein Schloss	kaufen		
einen Reiseführer	machen	4.	10. ....
Fotos	planen	5.	11. ....
Ferien			
eine Stadt		6.	12. ....

 4 Haben Sie schon mal ...? **Fragen und antworten Sie.**

Haben Sie schon mal

Haben Sie schon mal Urlaub in Deutschland gemacht?

eine Radtour gemacht?
in der Ostsee gebadet?
am Meer gezeltet?
Budapest besucht?
eine Städtereise geplant?
eine Wanderung in den Bergen gemacht?

Ja, das habe ich schon gemacht.

Ja, na klar!

Nein, noch nie.

5 Das Perfekt mit *haben*
0.1, Ü8–10
3.1
a) **Lesen Sie die Beispiele. Markieren Sie die Partizip-II-Formen im Tagebuch und**
machen Sie eine Tabelle.

ge...(e)t	...ge...(e)t	...(e)t
geschafft	eingekauft	übernachtet

Minimemo
Verben mit der Endung *-ieren* (z. B. *probieren*) bilden das Partizip II ohne *ge-*: „Bei Verben mit *-ieren* kann nichts passieren."

b) **Ergänzen Sie die Regel.**

Grammatik

Die Familie (hat) am zweiten Tag 71,5 km (geschafft).
                                                   Partizip II

Wann (hat) Familie Mertens (eingekauft)?
                                              Partizip II

(Haben) sie in Linz (übernachtet)?
                                        Partizip II

Regel Im Perfekt mit *haben* steht .... auf Position 2.

Das .... steht am Satzende.

 ABC

3 Was ist passiert?

1 Ein Unfall. **Bringen Sie die Zeichnungen in die richtige Reihenfolge.**

2 Eintrag im Tagebuch von Silvia Mertens.
Ü11–12 **Lesen Sie und kontrollieren Sie die Reihenfolge in 1.**

> 6. Tag: 4. Juli
> Was für ein Tag! Heute ist meine Mutter vom Rad gefallen.
> Kurz vor Wien haben Kinder auf der Straße Ball gespielt.
> Plötzlich ist der Ball in ihr Rad geflogen, aber es ist nicht viel
> passiert und sie ist gleich wieder aufgestanden. Mein Vater
> hat die Polizei angerufen. Sie ist schnell gekommen, wir haben
> also nicht viel Zeit verloren. Sie haben ein Protokoll geschrie-
> ben und uns geholfen. Dann haben wir eine Pause gemacht.
> Nach einer Stunde sind wir weitergefahren.

3 Lange und kurze Vokale. **Sammeln Sie die Partizip-II-Formen in 2 und markieren Sie**
2.10 **den Wortakzent. Hören Sie und sprechen Sie nach.**

4 Silvia ruft abends ihre Freundin Britta an. **Was antwortet sie auf Brittas Fragen?**
Ergänzen Sie und üben Sie mit Ihrer Partnerin / Ihrem Partner.

○ Hallo Britta, hier ist Silvia.
○ Hallo, Silvia, wie geht's auf eurer Radtour?
○ Ganz gut, aber heute …
○ Oh je, ist dir etwas passiert?
○ …
○ Wie ist es denn passiert?
○ …

○ Habt ihr die Polizei angerufen?
○ …
○ Und was habt ihr dann gemacht?
○ …
○ Wann seid ihr denn weitergefahren?
○ …
○ Na, dann viel Spaß noch!
○ Danke, tschüss, bis bald!

5 Das Perfekt mit unregelmäßigen Verben

1, Ü13–14
2

a) Markieren Sie die Perfektformen in 2. Was ist neu?

> 6. Tag: 4. Juli
> Was für ein Tag! Heute ist meine Mutter vom Rad gefallen.
> Kurz vor Wien haben Kinder auf der Straße Ball gespielt.

b) Ergänzen Sie die Partizip-II-Formen.

ge...en	...ge...en	...en
fallen –	aufstehen – aufgestanden	verlieren – ....
fliegen –	anrufen –	....
kommen –	weiterfahren –	
schreiben –		
helfen –		

Minimemo

Die meisten Verben bilden das Perfekt mit *haben*.
Lernen Sie das Perfekt mit *sein*:
🚲 fahren – ist gefahren, 🏃 laufen – ist gelaufen,
✈ fliegen – ist geflogen, bleiben – ist geblieben,
passieren – ist passiert, sein – ist gewesen

6 Eine Umfrage: Was haben Sie im Urlaub gemacht?

2.11
Ü15

a) Hören Sie und sammeln Sie Informationen.

Frau Biechele (53)

Herr Demme (41)

Manja (23)

	Frau Biechele	Herr Demme	Manja
Orte (wo?)	....	....	....
Aktivitäten (was?)	....	....	....

**b) Machen Sie eine Umfrage im Kurs
und berichten Sie.**

> Erkan war in ... und hat ...

 7 Mein Urlaub. **Schreiben Sie einen kurzen Ich-Text.**

Ü16

Wann? – Wo? – Wie war das Wetter / Hotel / Essen? – Was haben Sie gemacht?

Ich war vom ... bis zum ... im Urlaub.   Ich war ...
Das Wetter war ...   Ich habe viel ... und ich bin oft ...

ABC

4 Urlaubsplanung und Ferientermine

1 Ü17–18 Die Monate. **Ergänzen Sie die Monatsnamen im Text. Die Informationen finden Sie im Kalender.**

Kalender: Januar · Februar · März · April · Mai · Juni · Juli · August · September · Oktober · November · Dezember

Land[1]	Sommer	Herbst	Weihnachten	Winter	Ostern	Pfingsten	Sommer
Baden-Württ. (5)	26.7.–8.9.	29.10.–2.11.	24.12.–5.1.	—	25.3.–5.4.	21.5.–1.6.	25.7.–7.9.
Bayern (–)	1.8.–12.9.	29.10.–3.11.	24.12.–5.1.	11.2.–15.2.	25.3.–6.4.	21.5.–31.5.	31.7.–11.9.
Berlin (–)	20./21.6.–3.8.	1.10.–13.10.	24.12.–4.1.	4.2.–9.2.	25.3.–6.4.	10.5./21.5.	19./20.6.–2.8.
Brandenburg (3)	21.6.–3.8.	1.10.–13.10.	24.12.–4.1.	4.2.–9.2.	27.3.–6.4.	10.5.	20.6.–2.8.
Bremen (1)	23.7.–31.8.	22.10.–3.11.	24.12.–5.1.	31.1.–1.2.	16.3.–2.4.	21.5.	27.6.–7.8.
Hamburg (–)	21.6.–1.8.	1.10.–12.10.	21.12.–4.1.	1.2.	4.3.–15.3.	2.5.–10.5.	20.6.–31.7.
Hessen (–)	2.7.–10.8.	15.10.–27.10.	24.12.–12.1.	—	25.3.–6.4.		8.7.–16.8.
Meckl.-Vorp.[2] (3)	23.6.–4.8.	1.10.–5.10.	21.12.–4.1.	4.2.–15.2.	25.3.–3.4.	17.5.–21.5.	22.6.–3.8.
Niedersachsen (–)	23.7.–31.8.	22.10.–3.11.	24.12.–5.1.	31.1.–1.2.	16.3.–2.4.	10.5./21.5.	27.6.–7.8.
Nordr.-Westf. (4)	9.7.–21.8.	8.10.–20.10.	21.12.–4.1.	—	25.3.–6.4.	21.5.	22.7.–3.9.
Rheinland-Pfalz (4)	2.7.–10.8.	1.10.–12.10.	20.12.–4.1.	—	20.3.–5.4.	10.5./31.5.	8.7.–16.8.
Saarland (2)	2.7.–14.8.	22.10.–3.11.	24.12.–5.1.	11.2.–16.2.	25.3.–6.4.	—	8.7.–17.8.
Sachsen (2)	23.7.–31.8.	22.10.–2.11.	22.12.–2.1.	4.2.–15.2.	29.3.–6.4.	10.5./18.5.–22.5.	15.7.–23.8.
Sachsen-Anhalt (–)	23.7.–5.9.	29.10.–2.11.	19.12.–4.1.	1.2.–8.2.	25.3.–30.3.	10.5.–18.5.	15.7.–28.8.
Schlesw.-Holst.[3] (3)	25.6.–4.8.	4.10.–19.10.	24.12.–5.1.	—	25.3.–9.4.	10.5.	24.6.–3.8.
Thüringen (1)	23.7.–31.8.	22.10.–3.11.	24.12.–5.1.	18.2.–23.2.	25.3.–6.4.	10.5.	15.7.–23.8.

1/2/3 siehe Rückseite · Quelle: www.kmk.org/ferienkalender.html

Familie Mertens aus Brandenburg hat zwei Kinder. Sie muss bei ihrer Urlaubsplanung die Ferientermine beachten. Im _____ gibt es zwei Wochen Herbstferien. Im _____ und _____ haben die Kinder Weihnachtsferien und im _____ gibt es Winterferien. Die Osterferien sind im Frühling, im _____ und _____. Die Sommerferien liegen in den Monaten _____, _____ und _____.

2 Monatsnamen üben. **Fragen und antworten Sie.**

Wann machen Sie Ferien? Wann hast du Geburtstag?
Wann ist der Deutschkurs zu Ende?
Was ist dein Lieblingsmonat?

3 2.12 Ab in den Süden – ein Sommerhit. **Hören Sie das Lied und lesen Sie den Text. Welche Wörter sind für Sie Urlaubswörter? Markieren Sie.**

Ab in den Süden

OHHH Willkommen, willkommen, willkommen Sonnenschein.
Wir packen unsre sieben Sachen in den Flieger rein.
Ja, wir kommen, wir kommen, wir kommen, macht euch bereit,
reif für die Insel, Sommer, Sonne, Strand und Zärtlichkeit.

Raus aus dem Regen ins Leben,
ab in den Süden der Sonne entgegen, was erleben …

4 Urlaub. **Machen Sie ein Wörternetz.**

wandern — die Berge — der Urlaub — die Sonne

5 Urlaub mit dem Auto

1 Urlaubsziele. **Was ist richtig? Lesen Sie und kreuzen Sie an.**

Ü19

1. ☒ Italien ist als Urlaubsland sehr beliebt.
2. ☐ Österreich ist der Urlaubsfavorit.
3. ☐ Viele deutsche Autourlauber fahren an die Ostsee.
4. ☐ Österreich hat den vierten Platz in den Top Ten.
5. ☐ Die Toskana, Venetien und Südtirol sind Attraktionen in Italien.
6. ☐ Auf Platz 1 bei den deutschen Autourlaubern liegt Deutschland.
7. ☐ Kroatien liegt als Urlaubsziel auf Platz 2.

reise + urlaub 07/2012

Wohin fahren die deutschen Autourlauber?

Deutsche Autourlauber und ihre Ziele

Deutschland	40,2
Italien	16,8
Österreich	7,2
Frankreich	5,7
Kroatien	5,4

Angaben in %

© 05/2012 ADAC e.V.

Viele deutsche Urlauber fahren gern mit dem Auto in die Ferien. Italien, Österreich und Frankreich sind Topreiseziele. Mit rund einer Million Urlaubsreisen liegt Deutschland bei den Autourlaubern aber auf Platz 1. Besonders gern fahren die Deutschen an die Ostsee und die Mecklenburgische Seenplatte, nach Oberbayern und ins Allgäu. In Italien sind die Toskana, Venetien und Südtirol *die* Attraktionen. Viele Autourlauber entscheiden sich auch für Kroatien und fahren z. B. nach Istrien.

27

2 Wohin fahren Sie am liebsten?
Erzählen Sie im Kurs.

Minimemo

Deutschland / nach Deutschland
die Türkei / in die Türkei
die Schweiz / in die Schweiz

ABC

1 Urlaub. **Ordnen Sie die Wörter den Fotos zu.**

die Altstadt – das Meer – Ski fahren – der Stadtbummel – wandern – lesen – die Berge –
besichtigen – der Strandkorb – die Natur – die Sonne – das Schloss – baden – der Wald –
einkaufen – das Café – der Strand

1

2

3

die Altstadt,

2 Vier Frauen – vier Urlaubsorte

2.19

a) **Welche Hörtexte passen? Hören Sie und ordnen Sie zu. Ein Hörtext passt nicht.**

1 Allgäu ☐

2 Sylt ☐

3 Heidelberg ☐

b) **Wo waren die Frauen im Urlaub? Hören Sie noch einmal und ergänzen Sie.**

1. Carina war bei ihrer Tante in ....

2. Julia war mit ihrer Klasse in den ...., sie waren im ....

3. Cora und ihre Freundin waren auf .... Und sie waren auch an
   der ....

4. Lena war mit ihrer Familie auf ....

3 Textkaraoke. **Hören Sie und sprechen Sie die 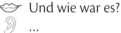-Rolle im Dialog.**

2.20

 ...

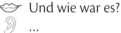 Guten Tag, Herr Marquardt.
Waren Sie im Urlaub?

 ...

 Wo waren Sie denn?

 ...

 Und wie war es?

 ...

 Und wie war das Wetter?

 ...

4 Wo waren Sie im Urlaub?

a) **Lesen Sie und ergänzen Sie das Interview.**

> Das Wetter war in den ersten Tagen gut. In Marseille hat es einen Tag geregnet. – Ich war
> mit meinem Freund zwei Wochen in Südfrankreich. – Mein Mann und ich waren zehn Tage
> in der Schweiz, nur unsere Tochter Sophie nicht. – Es war sehr schön. In Marseille war es toll.

💬 Wo waren Sie im Urlaub, Frau Abt?   👄 *Mein Mann* ....

💬 Und wo warst du, Sophie?   👄 ....

💬 Und wie war es in Südfrankreich?   👄 ....

💬 Und wie war das Wetter?   👄 ....

b) **Unterstreichen Sie die Präteritum-Formen von *sein* und ergänzen Sie die Tabelle.**

sein			
ich	....	*wir*	....
du	....	*ihr*	....
er/es/sie	....	*sie/Sie*	....

5 Und wie war der Urlaub? **Hören Sie die Wörter und markieren Sie:
langer oder kurzer Vokal?**

2.21

Der Urlaub war ...

schlecht   langweilig   gut   schön   toll   prima   super!

6 Ab nach Linz

2.22

a) Hören Sie den Text und bringen Sie die Fotos in die richtige Reihenfolge.

Linzfest ☐

Linz an der Donau 1

Botanischer Garten ☐

Mariendom ☐

b) Was ist richtig? Hören Sie noch einmal und kreuzen Sie an.

1. Linz
   a ☐ ist die Hauptstadt von Österreich.
   b ☐ liegt nördlich von Wien.
   c ☐ liegt im Nordosten von Österreich.

2. Linz war Kulturhauptstadt
   a ☐ 2007.
   b ☐ 2009.
   c ☐ 2012.

3. Das Linzfest
   a ☐ ist ein Musikfestival.
   b ☐ ist im Sommer.
   c ☐ spielt Musik nur aus Österreich.

4. Seit 1653 gibt es schon
   a ☐ den Botanischen Garten.
   b ☐ die Linzer Torte.
   c ☐ das Linzfest.

7 Eslem und Stefan in Linz

a) Was wollen sie machen? Ergänzen Sie die Verben.

☐ – einen Bummel durch Linz ....

☐ – die Linzer Torte ....

☐ – das Linzfest ....

☐ – eine Schiffstour ....

☐ – den Mariendom ....

☐ – Geschenke ....

kaufen –
probieren –
machen –
machen –
fotografieren –
besuchen

b) Was haben sie gemacht? Lesen Sie und kreuzen Sie in a) an.

Linz war super! Wir waren dort zwei Tage. Wir haben in einem Hotel im Zentrum übernachtet. Wir haben eine Schiffstour gemacht und den Mariendom und das Rathaus fotografiert. Wir haben die Altstadt angeschaut. Und wir haben Linzer Torte probiert – hm, sehr lecker! Das war alles.

Nein, wir haben auch noch viele Geschenke gekauft!

c) **Unterstreichen Sie die Partizip-II-Formen in b) und ergänzen Sie die Tabelle.**

ge...(e)t	...ge...(e)t	...(e)t
		übernachtet

---

8 Der Urlaub von Familie Mertens

a) **Ergänzen Sie die Partizip-II-Formen.**

1. ☐ Familie Mertens hat eine Radtour von Passau nach Linz .... (machen).

2. ☐ Am zweiten Tag haben sie .... (einkaufen) und an der Donau ein
   Picknick .... (machen).

3. ☐ In Linz haben sie in einer Pension .... (übernachten).

4. ☐ In Linz haben sie ein Kloster .... (besichtigen).

5. ☐ In Wien haben sie das Rathaus .... (besuchen) und ....
   (fotografieren).

6. ☐ In Budapest hat die Familie ihr Ziel .... (erreichen).

b) **Lesen Sie das Tagebuch von Silvia auf Seite 164 noch einmal. Welche Sätze in a) sind
   richtig? Kreuzen Sie an und korrigieren Sie die falschen Sätze.**

9 Flüssig sprechen. **Hören Sie und sprechen Sie nach.**

2.23

1. gemacht. – Urlaub in Wien gemacht. – Verena hat Urlaub in Wien gemacht.
2. telefoniert. – mit ihren Eltern telefoniert. – Sie hat mit ihren Eltern telefoniert.
3. übernachtet. – in einem Hotel übernachtet. – Sie hat in einem Hotel übernachtet.
4. angeschaut. – den Stephansdom angeschaut. – am ersten Tag den Stephansdom angeschaut. –
   Sie hat am ersten Tag den Stephansdom angeschaut.

10 Was hat Peter im Sommer gemacht? **Schreiben Sie Sätze.**

1. Peter (hat) in der Ostsee (gebadet).   4. .... (........) .... (........)

2. Er (........) .... (........)   5. .... (........) ein Fest (........)

3. .... (........) .... (........)

11 Der Unfall von Frau Mertens. **Ergänzen Sie.**

1. Entschuldigung, ist Ihnen etwas
   ....? (passieren)

2. Ich bin vom Rad
   .... (fallen)

3. Der Ball ist ins Rad
   ....
   (fliegen)

4. Wie ist das genau
   ....? (passieren)

5. Ich habe Sie
   .... (anrufen)

12 Familienwörter. **Was passt? Ordnen Sie zu.**

der Großvater

der Vater

die Großmutter   der Bruder

die Mutter

die Schwester

die Großeltern: ....

+ ....

die Eltern: ....

+ ....

die Geschwister: ....

+ ....

13 Das Perfekt

a) **Wie heißt der Infinitiv? Schreiben Sie.**

1. Die Kinder haben Ball gespielt. *spielen*........

2. Der Ball ist ins Rad geflogen. ....

3. Es ist nicht viel passiert. ....

4. Die Mutter ist aufgestanden. ....

5. Der Vater hat angerufen. ....

6. Die Polizei ist gekommen. ....

7. Sie haben uns geholfen. ....

8. Wir sind weitergefahren. ....

b) *Sein oder haben?* **Sammeln Sie Verben aus 11 und 13 und machen Sie eine Tabelle.**

Perfekt mit haben	Perfekt mit sein
sie haben gespielt	....

14 Mit dem Fahrrad durch Frankreich.
Ergänzen Sie die Perfektformen.

fahren (2x) – bleiben – schreiben – arbeiten –
besichtigen – passieren – helfen – fallen

Liebe Freunde,

ich .... lange nichts .... Seit sechs Monaten sind wir

mit dem Fahrrad im Urlaub. Es ist toll! Wir .... von Freiburg

über Besançon nach Lyon .... In Lyon .... wir eine

Woche .... Lyon ist super! Wir .... viele Sehens-

würdigkeiten und die Altstadt .... Danach .... wir

nach Marseille .... Hier .... ein Unfall .... :

Max .... vom Rad .... , aber eine Frau ....

uns .... Wir .... hier einen Monat in einer Fabrik

.... Und morgen geht es weiter!

Liebe Grüße von Christine und Max

15 Urlaubstypen

a) Wer macht wo Urlaub? Vermuten Sie und ordnen Sie zu.

Wo? in der Stadt – im Wald – am Meer – in den Bergen – am Strand
Was? Rad fahren – baden – wandern – feiern – in Cafés gehen – lesen – Museen besuchen
Mit wem? allein – mit Freunden – mit der Freundin

*Sven Hesse
(27)*

Wo? ....
Was? ....
Mit wem? ....

*Marcel Lindner
(30)*

Wo? ....
Was? ....
Mit wem? ....

*Gregor Bayer
(25)*

Wo? ....
Was? ....
Mit wem? ....

b) Welcher Steckbrief passt? Hören Sie die drei Interviews und ordnen Sie zu.
2.24

16 Und welcher Urlaubstyp sind Sie? **Schreiben Sie einen Steckbrief.**

Wo?
Was?
Mit wem?

17 Urlaubsplanung in der Firma. **Wer hat wann Urlaub gemacht? Schreiben Sie.**

Claudia Behrens

Jörg Werner

Hanna Weber

Frau Behrens hat vom 21. Dezember bis zum 2. Januar Urlaub gemacht ...

18 Die Jahreszeiten. **Was machen Sie wann? Sammeln Sie Tätigkeiten.**

im Garten arbeiten — **im Frühling** — spazieren gehen / Fahrrad fahren

lesen / Ski fahren — **im Winter** — in den Süden fliegen

19 Was hat Familie Grunwald im Urlaub gemacht? **Schreiben Sie.**

> nach Österreich fahren – alle Sachen ins Auto packen – ein Picknick machen – falsch
> fahren – nach dem Weg fragen – helfen – auf der Autobahn im Stau stehen – im Hotel
> anrufen – spät ankommen – müde sein

Familie Grunwald ist nach Österreich gefahren.
Zuerst haben sie alle Sachen ...

Fit für Einheit 10? Testen Sie sich!

Mit Sprache handeln

über Ferien und Urlaub sprechen

Wo waren Sie im Urlaub? .... (Dresden)

Und wie war es? .... (sehr schön)

Wie war das Wetter? .... (nicht so gut)

▸ KB 1.2, 2.4, 3.6, 5.1

einen Unfall beschreiben

1	Wir haben eine Radtour gemacht.	☐ Dann sind wir weitergefahren.
☐	Sie haben ein Protokoll geschrieben.	☐ Ich bin vom Rad gefallen.
☐	Meine Schwester hat die Polizei angerufen.	☐ Die Polizei ist gekommen. ▸ KB 3.2, 3.4

Wortfelder

Urlaub

ein Picknick   wandern
die Altstadt   planen
in den Bergen   besichtigen
in der Ostsee   machen
eine Städtereise   baden   ▸ KB 1.1, 2.3

Jahreszeiten und Monatsnamen

der Winter: *der Dezember, der Januar* ....

der Frühling: ....

der Sommer: ....

der Herbst: .... ▸ KB 4.1

Grammatik

Das Perfekt

passieren: *es ist passiert* ....   helfen: ....

machen: *er hat* ....   aufstehen: ....

kommen: ....   einkaufen: ....

▸ KB 2.5, 3.5

Aussprache

Langer oder kurzer Vokal?

gesp<u>ie</u>lt – gem<u>a</u>cht – geplant – gefallen – geholfen – geflogen – verloren – aufgestanden   ▸ KB 3.3

Station 3

1 Berufsbilder

1 Beruf Reiseverkehrskauffrau

a) Sehen Sie die Fotos an. Was machen Reiseverkehrskaufleute?

b) Lesen Sie den Text und sammeln Sie Informationen im Wörternetz.

Jenny Manteufel, Reiseverkehrskauffrau

Jenny Manteufel arbeitet im Reisebüro Ikarus in Kassel. Sie ist Reiseverkehrs-kauffrau und organisiert Urlaubs- und Geschäftsreisen. Reiseverkehrskaufleute reservieren Zimmer in Hotels und informieren Kunden über Reiseziele.
Frau Manteufel muss viele Länder sehr gut kennen. Sie ist Spezialistin für Reisen nach Kanada. Mit dem Computer recherchiert sie Reiseziele, Preise oder Fahrpläne. Sie muss viel organisieren, z. B. Exkursionen planen und dann die Hotels buchen. Manchmal macht sie auch eine Qualitätskontrolle in Hotels oder sie informiert sich über neue Reisetrends auf einer Messe. Letzte Woche war sie in Friedrichshafen zur Internationalen Touristikmesse „Reisen und Freizeit". Im Trend sind Trekking-Touren und Städte-Trips.

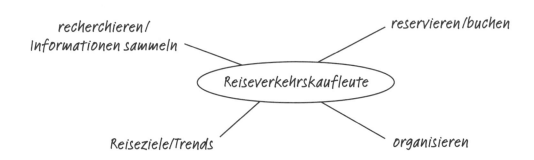

c) Was erzählt Jenny Manteufel noch? Hören Sie das Interview und ergänzen Sie das Wörternetz. 2.13

2 Beruf Fachangestellte/r für Bäderbetriebe. **Lesen Sie die Berufsbeschreibung. Welches Foto passt am besten zum Beruf? Kreuzen Sie an.**

Sie arbeiten, wo andere ihre Freizeit verbringen. Badegäste nennen die „Fachangestellten für Bäderbetriebe" meistens „Schwimmmeister" oder „Bademeister". Bademeister/innen stehen nicht nur cool am Beckenrand, sie haben auch viele Aufgaben. Sie kontrollieren die Wasserqualität, betreuen die Badegäste, geben Schwimmunterricht und überwachen die Technik und die Sauberkeit in Schwimmbädern. Sie haben eine Ausbildung in Erste Hilfe und als Rettungsschwimmer. Bademeister/innen arbeiten oft in Frei- und Hallenbädern, an Seen und am Strand, in Fitnesszentren oder in Wellness-Hotels.

3 Interview mit Schwimmmeister Kevin Landefeld (34)

2.14

a) **Hören Sie das Interview und kreuzen Sie die richtigen Aussagen an. Wozu sagt er nichts?**

	richtig	falsch
1. Kevin muss oft die Wasserqualität und die Technik kontrollieren.	☐	☐
2. Er muss oft Schwimmunterricht geben.	☐	☐
3. Er muss nie Sachen reparieren.	☐	☐
4. Er muss oft Badegäste retten.	☐	☐
5. Er muss nie ins Schwimmtraining gehen.	☐	☐
6. Er kann nie im Sommer Urlaub machen.	☐	☐
7. Er kann oft um 18 Uhr zu Hause sein.	☐	☐

b) **Hören Sie noch einmal und korrigieren Sie die falschen Aussagen.**

4 Portrait. **Schreiben Sie eine Kurzbeschreibung für den Beruf „Bademeister/in":**
Arbeitsorte, Aufgaben, Ausbildung.

2 Wörter – Spiele – Training

1 Berufe raten. **Welche Berufe aus studio [21] sind das?**

> *Kursbuch, Tafel, Wörter erklären, ... – die Lehrerin / der Lehrer*

1. Computer, Software, Programme schreiben ....
2. Büro, Telefon, Termine machen ....
3. Speisekarte, Getränke, kassieren ....
4. Sport, Aerobic, Kurse planen ....
5. Maschine, Technik, reparieren ....
6. Praxis, Patienten untersuchen ....
7. Hotels, Flugtickets, telefonieren ....

2 Im Labyrinth. **Hören Sie die Beschreibung und zeichnen Sie den Weg ein.**

2.15

♀ Entschuldigung, ich suche den Ausgang, bitte ganz, ganz schnell!

♂ ...

3 Wortschatz wiederholen

a) **Ordnen Sie die Wörter in die Tabelle. Schreiben Sie die Nomen mit Artikel.**

arbeiten – Bus – Computer – Berge – Drucker – Monitor – Sonne – notieren – Fahrrad –
Picknick – schreiben – Taxi – baden – wandern – U-Bahn – Verkehr – telefonieren – Insel –
E-Mail – Museum – Ampel – fliegen – Pause machen – Stau

Verkehr	Büro	Urlaub
der Bus		

b) **Wählen Sie ein Wortfeld aus. Machen Sie ein Lernplakat.**
Vergleichen Sie die Plakate im Kurs.

1. mein Tagesablauf
2. mein Arbeitsplatz
3. in Berlin als Tourist

4 Übungen in Gruppen selbst machen

a) **Schreiben Sie zehn Übungen zu den Einheiten 7 bis 9.**

1. Beruf Arzt. Wie heißt die feminine Form?
2. Was macht ein Programmierer? Nennen Sie zwei Tätigkeiten.
3. Herr Sacher organisiert Sportkurse. Welchen Beruf hat er?
4. Artikelwörter im Akkusativ, maskulin, Singular – wie heißt die Endung?
5. Nennen Sie drei Informationen auf Visitenkarten.
6. ...

b) **Gruppe 1 spielt „Fußball" gegen Gruppe 2.**

Gruppe 1 fragt, Gruppe 2
antwortet falsch. Der Ball
geht ein Feld nach rechts.
Gruppe 2 fragt, Gruppe 1
antwortet richtig.
Der Ball geht ins Tor:
„1 zu 0" für Gruppe 1. usw.

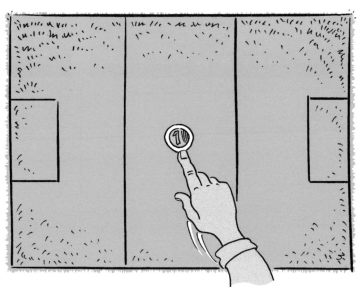

3 Filmstation

1 Aufgaben im Praktikum. **Sehen Sie die Szene und ergänzen Sie die Verben.**

14

Bitte .... Sie Platz!

Aleksandra hat nicht viel Erfahrung in der Verlagsarbeit, aber sie hat schon ein Praktikum bei einem

Wörterbuchverlag .... Sie .... sich sehr für das Praktikum.

Sie .... drei Sprachen. Sie .... mit Autoren zusammen.

Frau Garve sagt: „Sie .... und .... Texte der Autoren und

.... Konferenzen." Die Konferenzen sind auch am Wochenende. Aleksandra muss

auch Reisen .... und am Computer ....

2 Orientierung in Berlin. **Nach dem Weg fragen und antworten.**
Sammeln Sie wichtige Wörter und Sätze aus dem Film.

15

Fragen	Antworten
....	....
....	....
....	....

3 Aleksandra am Arbeitsplatz

16

a) **Im Büro. Welche Dinge kennen Sie auf Deutsch?**

1. ....
2. ....
3. ....
4. ....
5. ....
6. ....

b) **Sehen Sie die Szene, ordnen Sie die Tätigkeiten und schreiben Sie.
Was macht Aleksandra wann?**

- ☐ Tom kommt und will 40 Kopien.
- ☐ Sie bittet Erkan um Hilfe.
- ☐ Sie telefoniert mit Frau Garve.
- ☐ Frau Garve braucht eine Stadtführung für einen Kollegen aus Barcelona.
- ☐ Erkan fragt: „Wir können mal zusammen kochen. Hast du Lust?"
- ☐ 1 Sie sucht eine Information auf der Internetseite der Deutschen Bahn.

c) **Aleksandra muss eine Stadtführung organisieren. Sie ruft Erkan an. Sehen Sie die Szene. Was sagt Erkan? Ergänzen Sie den Dialog und üben Sie mit Ihrer Partnerin / Ihrem Partner.**

💬 Hi Erkan, du, kannst du mir helfen? Ich brauche eine Stadtführung.

🗨 ....

💬 Das ist ja super. Du kannst mir die Infos mailen.

🗨 ....

💬 Das ist eine Riesenhilfe. Du hast was gut bei mir. Wie kann ich dir danken?

🗨 ....

💬 Kochen? Bei dir?

🗨 ....

💬 Ja gern, warum nicht?

🗨 ....

💬 Ok., dann bis morgen Abend.

4 Magazin

Produkte aus Deutschland,

Nivea – eine Creme geht um die Welt

Wer kennt sie nicht, die blaue Cremedose mit der weißen Schrift? Nivea-Creme ist seit 1911 auf dem Markt. Der Apotheker Dr. Oscar Troplowitz hat sie schon um 1900 in seinem Labor in Hamburg entwickelt. Troplowitz hat Öl und Wasser mit Eucerit gemischt und so die Hautcreme erfunden. Der Name Nivea kommt von „nivis", lateinisch für Schnee. Die blaue Dose gibt es seit 1924. Sie symbolisiert Frische und Sauberkeit. Nivea – das ist heute nicht nur Creme und Body Lotion, es ist die größte Kosmetik- und Körperpflegemarke der Welt.

Energie aus Österreich - Red Bull

1982 hat Dietrich Mateschitz eine Dienstreise nach Hongkong gemacht und an einer Hotelbar ein isotonisches Getränk probiert. Die Idee war gut. Mateschitz hat einen Energy Drink entwickelt, und seit 1987 ist Red Bull in Österreich auf den Markt. Heute verkauft die Firma jedes Jahr ca. vier Milliarden Dosen in über 160 Ländern. Red Bull ist Sponsor im Motorsport. 2010 und 2012 hat das Red Bull Racing-Team mit dem Formel-1-Piloten Sebastian Vettel den WM-Titel gewonnen. Red Bull unterstützt Extremsportler in Disziplinen wie Base-Jumping, Kitesurfen, Snow- und Skateboarden oder Mountainbiking. Das Eishockeyteam EC Red Bull Salzburg war 2007, 2008 und 2010 Meister in der ersten Liga. Außerdem hat Red Bull Fußballclubs in Österreich, Ghana, den USA, Brasilien und Deutschland.

Österreich und der Schweiz

Milka – manche Kühe sind lila

1825 gründet der Bäcker Philippe Suchard eine Schokoladenfabrik in Neuenburg (Schweiz) und seit 1901 gibt es den Markennamen „Milka". Er ist eine Abkürzung aus den Wörtern „Milch" und „Kakao". Für die Schokolade sind das lila Papier, die Kuh und das Alpenfoto typisch. Seit 1973 ist auch die Milka-Kuh lila. Heute produziert Milka 120.000 Tonnen Schokolade in Lörrach (Deutschland) und an anderen Produktionsorten wie z.B. in Straßburg (Frankreich), Bratislava (Slowakei) und Posen (Polen). Aber nur in Lörrach heißt

eine Straße „Milkastraße". Milka ist Sponsor für den Ski-Sport. In den 1990er Jahren hat Peter Steiner in einem Milka-Werbespot sein Lied „It's cool man" gesungen. Steiner war schon über 70 Jahre alt und sein Lied war in der deutschen, österreichischen und schweizerischen Hitparade. Milka ist sehr bekannt. Manche Kinder denken: Kühe sind lila.

Drei Streifen – Adidas

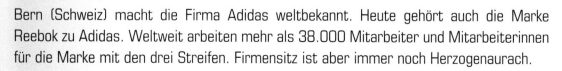

Die Adidas AG produziert Sportartikel für den internationalen Markt. Die Firmengeschichte ist lang. 1920 entwickelt Adolf Dassler in Herzogenaurach bei Nürnberg einen Trainingsschuh für Läufer. Er kostet zwei Reichsmark und ist optimal für den Sport. Fünf Jahre später produziert Dassler Spezialschuhe für den Fußball und bei den Olympischen Spielen 1936 gewinnt Jesse Owens vier Goldmedaillen in den Schuhen von Adi Dassler. Die Adidas AG gründet Adolf Dassler am 18. August 1949. Der Sieg der deutschen Fußball-Nationalmannschaft 1954 in Bern (Schweiz) macht die Firma Adidas weltbekannt. Heute gehört auch die Marke Reebok zu Adidas. Weltweit arbeiten mehr als 38.000 Mitarbeiter und Mitarbeiterinnen für die Marke mit den drei Streifen. Firmensitz ist aber immer noch Herzogenaurach.

Hier lernen Sie

▶ einkaufen: fragen und sagen, was man möchte
▶ nach dem Preis fragen und antworten
▶ sagen, was man (nicht) gern mag/isst/trinkt
▶ ein Rezept verstehen und erklären

1 Lebensmittel auf dem Markt und im Supermarkt

Sie wünschen, bitte?

Oh, die Möhren sind billig, das Bund nur 1,29 Euro!

1 Auf dem Markt oder im Supermarkt?

a) Welche Lebensmittel kennen Sie? Sammeln Sie im Kurs.

Bananen, Kaffee, Milch, ...

b) Welche Lebensmittel kaufen Sie wo? Machen Sie eine Tabelle.

auf dem Markt	im Supermarkt	beim Bäcker	in der Fleischerei
Äpfel		Brot	

Auf dem Markt kaufe ich Äpfel und Orangen.

Fleisch und Wurst kaufe ich in der Fleischerei.

das Brot

die Butter

die Kartoffeln (Pl.)

das Hähnchen

die Tomate

3,49 Euro für 500 g Erdbeeren
– das ist aber teuer!

Ich hätte gern 100 g Salami.

2 Einkaufen. Was kaufen Sie jeden Tag? Was kaufen Sie manchmal und was nie?
Ü1–2 Vergleichen Sie im Kurs.

jeden Tag	manchmal	nie
Milch	Fleisch	Fisch

Ich kaufe jeden Tag Milch.
Manchmal kaufe ich Fleisch.
Fisch kaufe ich nie.

3 Fünf wichtige Lebensmittel in Ihrem Land. Machen Sie eine Liste. Arbeiten Sie mit
dem Wörterbuch. Wie heißen die Lebensmittel auf Deutsch?

4 Einkaufen in Deutschland, Österreich und der Schweiz – Einkaufen in Ihren Ländern.
Ü3 Was kaufen Sie ein? Was gibt es nicht?

Bei uns zu Hause
kaufe ich Weißbrot.

Sauerkraut kenne ich
nicht. Was ist das?

Gibt es in Deutschland
auch ...?

In Deutschland
gibt es keine ...

ABC

einhundertsiebenundachtzig

der Joghurt

der Käse

die Eier (Pl.)

der Kuchen

die Schokolade

2 Einkaufen

1 Was haben die Leute gekauft?

2.16

a) Hören Sie und kreuzen Sie an.

☐ .... Erdbeeren   ☐ .... Eier

☐ .... Kartoffeln   ☐ .... Brötchen

☐ .... Äpfel   ☐ .... Bananen

☐ .... Sauerkraut   ☐ .... Milch

b) Hören Sie noch einmal und notieren Sie die Menge.

Minimemo

500 g = 500 Gramm = 1 Pfund
1 kg = 1 Kilogramm (Kilo)
1 l = 1 Liter
St = 1 Stück

2 Wochenendeinkauf. **Was kaufen Sie ein? Schreiben Sie einen Einkaufszettel.**

Ü4

Lerntipp

Wartezeit = Lernzeit

Sie warten an der Kasse? Nennen Sie alle Sachen in Ihrem Wagen auf Deutsch! Was kaufen die anderen?

3 Einkaufsdialoge. **Fragen und sagen, was man möchte. Üben Sie.**

Ü5

Was darf es sein?	Ich hätte gern	2 Kilo Kartoffeln / 5 Äpfel /
Sie wünschen?	Geben Sie mir bitte	einen Liter Milch /
Bitte schön?	Ich möchte	200 g Käse / 4 Brötchen /
	Ich nehme	eine Flasche Ketchup.

4 Aussprache -e und -en oder -el am Wortende. **Hören Sie und sprechen Sie nach.**

2.17   Ü6

1. bitte – bitte schön – ich hätte gern – ich hätte lieber – ich möchte – ich nehme – der Käse – eine Flasche – welche Flasche?

2. wünschen – Sie wünschen? – welchen Käse wünschen Sie? – geben – geben Sie mir bitte – der Apfel – die Äpfel – ein Brötchen – die Tomaten – kosten – was kosten die Lebensmittel?

5 Preise

Ü7

a) **Fragen und antworten Sie.**

💬 Was kosten die Gurken?   💬 Wie viel kosten die Tomaten?
💬 Eine Gurke kostet 1,50 Euro.   💬 3 Euro das Kilo.
💬 Was kosten ...?

b) **Kommentieren Sie die Preise.**

Eine Gurke für 1,50 Euro –
das ist aber teuer!

Die Möhren sind billig.

6 Wortschatz systematisch

a) **Sammeln Sie Wörter zum Thema Lebensmittel in einem Wörternetz.**

👍 **Lerntipp**
Machen Sie Wörternetze!

b) **Sammeln Sie Wörter und Redemittel in Wortfeldern.**

Obst und Gemüse

Äpfel und Birnen

👍 **Lerntipp**
Wörter zusammen
lernen

fragen und sagen,
was man möchte

Ich hätte gern ...

🔊 c) **Trainieren Sie Wörter zusammen mit ihrer Aussprache. Hören Sie und sprechen Sie nach.**

2.18

7 Einkaufen spielen. **Üben Sie im Kurs.**

Ü8–9

fragen, was jemand möchte	**sagen, was man möchte**
Bitte schön? / Sie wünschen bitte?	Ein Kilo / Einen Liter ..., bitte.
Was darf es sein? / Noch etwas?	Ich hätte gern ... / Ich möchte ... /
Welchen Käse möchten Sie?	Ich nehme ...
Welche Wurst ...	Haben Sie ...? Gibt es (heute) ...?
Darf es sonst noch etwas sein?	Danke, das ist alles.
Möchten Sie eine Tüte?	Ja, bitte. / Nein, danke.
nach dem Preis fragen	**Preise nennen**
Was kostet ... / Wie viel kosten ...?	100 g kosten 2,99. / 98 Cent das Kilo.
Was macht das?	Das macht zusammen 23,76 Euro. / 3,80 bitte.

Redemittel

ABC

3 Über Essen sprechen

1 Was essen die Deutschen gern zu Mittag?

Ü10

a) Lesen Sie die Überschrift. Worum geht es im Text? Kreuzen Sie an.

1. ☐ ein Rezept für Currywurst
2. ☐ eine Umfrage zum Thema Lieblingsessen
3. ☐ Sport in der Mittagspause

b) Lesen Sie den Zeitungsartikel und sammeln Sie alle Lebensmittel.

Currywurst oder Schnitzel mit Pommes – welches Gericht macht das Rennen?

Jeden Tag essen ca. 6 Mio. Deutsche in einer Kantine zu Mittag. Markt-Info hat 1000 Gäste in einer Kantine in Frankfurt/Main gefragt: Was ist Ihr Lieblingsessen? Das Ergebnis überrascht nicht: Pizza, Nudeln und Fleischgerichte sind sehr beliebt. 29 Prozent erklären die Currywurst zu ihrem Lieblingsessen. Spaghetti mit Tomatensoße landen mit 22 Prozent auf dem zweiten Platz. Danach folgt Pizza mit 16 Prozent. Mit 13 Prozent ist das Schnitzel mit Pommes nicht mehr so beliebt wie früher (2007: 20 Prozent). Kalorien sind beim Lieblingsessen nicht wichtig: Kantinenbesucher essen lieber Hamburger (9 Prozent) als Fisch (7 Prozent). Gemüse und Salat sind auch nicht sehr beliebt. Nur 4 Prozent essen mittags am liebsten einen Salat. Das Umfrage-Ergebnis: Kantinenessen muss lecker, aber nicht gesund sein.

c) Was ist in Kantinen „in"? Machen Sie eine „Hitliste".

Platz	Essen	Prozent
1		29
2		

d) Was bedeutet das? Ordnen Sie zu.

das Rennen machen	1		a	zu ihrem Lieblingsessen erklären
auf dem zweiten Platz landen	2		b	auf dem 1. Platz sein
sagen, was man am liebsten isst	3		c	nicht so gut oder beliebt sein wie Platz 1

2 Textzusammenfassung. **Ergänzen Sie die Lebensmittel.**

Kantinengäste essen gern ...., ... und

.... Sie mögen *Spaghetti* lieber als .... und

.... lieber als *Fisch* .... Am liebsten essen sie

....

> **Minimemo**
> Ich mag Pommes genauso gern wie Pizza. Ich mag Döner lieber als Hamburger.

3 Mittagspause in Ihrem Land – was isst man am liebsten? **Vergleichen Sie.**

4 Welches Ei ist frisch? **Lesen Sie den Haushaltstipp. Was passiert? Wie alt sind die Eier? Ordnen Sie zu.**

a   b   c

1. ☐ Das Ei ist frisch.
2. ☐ Das Ei ist mehr als zwei Wochen alt.
3. ☐ Das Ei ist mehr als drei Wochen alt.

Haushaltstipp

Eier-Test

Im Ei ist Luft. Ist das Ei frisch, ist wenig Luft im Ei. In einem alten Ei ist mehr Luft. Geben Sie das Ei in ein Glas mit Wasser.

5 Komparation: *viel – gut – gern*

27 Ü11–14

a) *Viel.* **Ordnen Sie die Fotos zu.**

a   b   c

1. ☐ viel   2. ☐ mehr   3. ☐ am meisten

b) *Gut und gern.* **Diskutieren Sie im Kurs.**

Ich finde, Schokoladentorte mit Sahne schmeckt am besten, oder?

Ich finde, Fisch mit Reis schmeckt gut.

Ich finde, Currywurst mit Pommes schmeckt besser als Fisch.

Ich esse gern Fisch mit Reis.

Ich esse lieber Currywurst mit Pommes als Fisch.

Ich esse am liebsten Schokoladentorte.

6 Fragewort *welch-.* **Sammeln Sie Beispiele in der Einheit. Ergänzen Sie die Tabelle.**

24   Ü15

Grammatik		der Käse	das Ei	die Wurst
	Nominativ	welcher Käse	welch..... Ei	.... Wurst
	Akkusativ	.... Käse	.... Ei	welche Wurst
	Plural	Welche Äpfel/Eier/Bananen kaufst du?		

Ich kaufe Bio-Eier.

7 Ausssprache *-er* am Wortende. **Hören Sie und sprechen Sie nach.**

2.19

lieber – Hamburger – Döner – Eier – welcher – Hamburger esse ich lieber als Döner.

Regel   Am Wortende spricht man *-er* wie ein schwaches *a*.

ABC

4 Was ich gern mag

1 Ein Menü. **Was passt (nicht) zusammen?**
Ü16

> Ich finde, Milch passt nicht zu Pizza.

> Das finde ich gar nicht.

> Das finde ich auch.

Fleisch	Kartoffeln	Salat	Käse	Wein
Fisch	Reis	Sauerkraut	Schinken	Bier
Pizza	Nudeln	Tomaten	Ketchup	Wasser
Brot	Pommes	Paprika	Schokolade	Orangensaft

2 Magst du ...? **Üben Sie.**
Ü17

♀ Magst du Nudeln?
♂ Ja, am liebsten mit Ketchup.

♀ Magst du ...?
♂ Ja, am liebsten mit ... / Nein, ... mag ich nicht.

3 Smalltalk. **Fragen Sie, was Ihre Partnerin / Ihr Partner gern isst. Machen Sie Notizen und berichten Sie.**
Ü18

> Björn isst gern Döner. Er mag keine Kartoffeln.
> Natalia isst lieber Salat als Fleisch. Am liebsten isst sie Tomaten.

Redemittel

fragen, was jemand gern isst/trinkt

Mögen Sie ... / Magst du ...	Spaghetti?/Kartoffeln?
Essen Sie / Isst du gern ...	Salat?/Eis?/Kuchen?
Trinken Sie / Trinkst du gern ...	Milch? Bier?/Eiskaffee?
Was mögen Sie / magst du lieber?	Äpfel oder Bananen?
Was ist Ihr/dein Lieblingsessen?	Gemüse, Fleisch oder Pommes?
	Fleisch mag ich am liebsten.

sagen, was man (nicht) gern mag/isst/trinkt

Bratwurst	mag/esse/trinke ich gern / ist mein Lieblingsessen.
Tomatensaft	schmeckt/schmecken super.
Pommes frites	mag ich gar nicht / schmeckt/schmecken mir nicht.
	kenne ich nicht. Was ist das?

Ist das Schweinefleisch? / Ist das Ananas aus der Dose? Ist da Zucker drin?
Apfelkuchen, lecker! Sind da Rosinen drin?
Ich bin Vegetarierin/Vegetarier. Ich esse kein Fleisch.

5 Ein Rezept

1
Ü19–21
Nudelauflauf. **Lesen Sie das Rezept und bringen Sie die Fotos in die richtige Reihenfolge.**

Zutaten (für 4 Personen)

250 g Nudeln
150 g Schinken
1–2 Zwiebeln
300 g Tomaten
150 g Bergkäse
1 Becher süße Sahne
Pfeffer, Salz

Nudelauflauf

Nudeln kochen. Schinken in Streifen schneiden, Zwiebel und Tomaten in Würfel schneiden. Zwiebeln in einer Pfanne anbraten. Drei Viertel (¾) der Nudeln in eine Form geben, dann Schinken, Zwiebeln und Tomaten dazu geben (ohne Schinken ist es vegetarisch). Mit etwas Käse bestreuen. Den Rest Nudeln darauf geben. Sahne, Salz und Pfeffer und den Käse verrühren und auf den Auflauf geben. Im Backofen bei 200 Grad ca. 30 Minuten backen.

Guten Appetit!

☐ backen

☐ anbraten

☐ verrühren

☐ schneiden

☐ kochen

👍 **Internettipp**
www.chefkoch.de
www.kochecke.at
www.gutekueche.ch

Landeskunde

Essenszeiten in Deutschland

In Deutschland gibt es drei Hauptmahlzeiten: *das Frühstück* zwischen 6 und 10 Uhr, *das Mittagessen* zwischen 12 und 14 Uhr und *das Abendessen* zwischen 18 und 20 Uhr. Zum Frühstück gibt es Kaffee oder Tee, Müsli, Brot oder Brötchen, Butter, Marmelade, Käse und Wurst. Wer früh aufsteht

und zur Arbeit geht, macht oft ein zweites Frühstück zwischen 9 und 10 Uhr am Arbeitsplatz. Mittags isst man gern warm, zum Beispiel Fleisch mit Kartoffeln und Gemüse. Abends essen viele lieber kalt. Dann gibt es Brot, Butter, Käse oder Wurst und Tee, Saft oder ein Bier. In vielen Familien gibt es am Sonntag zwischen 15 und 17 Uhr Kaffee oder Tee und Kuchen. Zum Essen in einem Restaurant oder bei Freunden zu Hause trifft man sich meistens zwischen 19 und 20 Uhr.

ABC

1 Lebensmittel. **Machen Sie eine Tabelle und ordnen Sie zu.**

Milchprodukte	Obst und Gemüse	Fleisch und Wurst
	die Tomaten	

2 Wortreihen

a) Ergänzen Sie die Artikel.

1. .... Apfel – .... Banane – .... Erdbeere – .... Ei

2. .... Reis – .... Wasser – .... Kartoffel – .... Nudel

3. .... Joghurt – .... Milch – .... Wurst – .... Butter

4. .... Kuchen – .... Schokolade – .... Fisch – .... Eis

b) Welches Wort passt nicht? Streichen Sie durch.

3 Frau Maier kauft ein

a) Was kauft sie wo? Schreiben Sie Sätze.

| Obst und Gemüse – Fleisch und Wurst – Brot und Kuchen – Butter und Käse | auf dem Markt – im Supermarkt – beim Bäcker – in der Fleischerei |

1. *Sie kauft* ....
2. ....
3. ....
4. ....

 b) Wie viel hat sie gekauft? Hören Sie und notieren Sie die Menge.
2.25

1. .... Butter   3. .... Bananen   5. .... Salami   7. .... Brot

2. .... Milch   4. .... Brötchen   6. .... Käse   8. .... Paprika

4 Der Einkaufszettel. Hören Sie und schreiben Sie.
2.26

1l Milch

5 Textkaraoke. **Hören Sie und sprechen Sie die 👄-Rolle im Dialog.**

2.27

👂 …
👄 Guten Tag. Ich hätte gern fünf Äpfel.
👂 …
👄 Ja, ich nehme noch zwei Paprika.
👂 …
👄 Was kosten denn die Tomaten?
👂 …
👄 Dann nehme ich bitte ein Pfund.
👂 …
👄 Danke, das ist alles.

6 -e, -en und -el am Wortende

a) **Lesen Sie und markieren Sie -e, -en und -el am Wortende.**

1. 💬 Hallo, was darf es sein?
   👄 Guten Tag, ich hätte gern sechs Äpfel und 1 kg Orangen.
   💬 Noch etwas?
   👄 Ja, ich nehme noch eine Banane.

2. 💬 Guten Tag, bitte schön?
   👄 Guten Tag. Ich möchte vier Brötchen und ein Weißbrot.
   💬 Noch etwas?
   👄 Haben Sie Schokoladentorte? Ich hätte gern vier Stück.

b) **Hören Sie und sprechen Sie nach.**

2.28

7 Was kosten denn …? **Hören Sie und schreiben Sie die Preise.**

2.29

1 kg Tomaten
....

1 Bund Möhren
....

1 kg Kartoffeln
....

1 kg Äpfel
....

500 g Erdbeeren
....

1 Gurke
....

8 Ich hätte gern … **Wer sagt was? Ordnen Sie zu.**

Ich nehme ein Kilo Kartoffeln. – Danke, das ist alles. – Darf es sonst noch etwas sein? – Was kosten die Äpfel? – Das macht zusammen 18,75 €. – Sie wünschen, bitte? – Ich hätte gern vier Brötchen. – Noch etwas? – Haben Sie Birnen?

Verkäufer / Verkäuferin	Kunde / Kundin
....	....
....	....

9 Auf dem Markt. **Lesen Sie und bringen Sie den Dialog in die richtige Reihenfolge.**

1	♀ Guten Tag, was darf es sein?	☐ ♂ Wie viel kostet der Salat?
☐	♀ Gern, sonst noch etwas?	2 ♂ Ich hätte gern ein Kilo Kartoffeln.
☐	♀ Nur 1,20 Euro.	☐ ♂ Dann nehme ich noch einen Salat und
☐	♀ Das macht zusammen 3,75 Euro.	zwei Orangen. Das ist dann alles.
☐	♂ Bitte.	

10 Was essen Mian und Alok gern? **Was ist richtig? Lesen Sie und kreuzen Sie an.**

♀ Was esst ihr am liebsten in der Mensa? Was esst ihr lieber als in eurer Heimat?

> Ich bin Mian und komme
> aus China. Ich esse lieber Kartoffeln als Reis.
> In Deutschland esse ich am liebsten Currywurst
> mit Pommes. Ich trinke sehr gern und
> sehr viel Tee mit viel Zucker.

> Mein Name ist Alok.
> Ich esse kein Fleisch. Ich bin Vegetarier.
> Ich esse viel Obst und Gemüse. Am liebsten esse
> ich Tofu, Reis und Gemüse. Dazu trinke
> ich gern Saft oder Wasser.

Mian

1. Was isst Mian lieber?
   a ☐ Kartoffeln.
   b ☐ Eis.
   c ☐ Reis.

2. Was isst sie am liebsten?
   a ☐ Bratwurst mit Pommes.
   b ☐ Currywurst mit Pommes.
   c ☐ Tomaten mit Pommes.

3. Was trinkt sie gern?
   a ☐ Wasser.
   b ☐ Saft.
   c ☐ Tee.

Alok

1. Was isst Alok?
   a ☐ Wenig Fleisch.
   b ☐ Kein Fleisch.
   c ☐ Viel Fleisch.

2. Was isst er am liebsten?
   a ☐ Tofu und Reis.
   b ☐ Fleisch und Kartoffeln.
   c ☐ Tofu und Nudeln.

3. Was trinkt er gern?
   a ☐ Cola.
   b ☐ Saft.
   c ☐ Kaffee.

11 Landeskunde: Essen in Deutschland, Österreich und in der Schweiz. **Ergänzen Sie *viel*, *mehr* oder *mehr ... als*.**

1. Die Deutschen essen gern Döner. In Berlin gibt es ....Döner-Lokale .... in Istanbul.

2. In Deutschland und Österreich isst man .... Wurst, in der Schweiz .... Käse.

3. Die Menschen in Deutschland, Österreich und in der Schweiz essen .... Kartoffeln .... die Menschen in Südeuropa.

4. In Österreich gibt es .... Dessertvariationen .... in Deutschland.

5. In Deutschland, Österreich und in der Schweiz kocht man .... zu Hause.

12 **Und was denken Sie?** **Schreiben Sie sechs Sätze und vergleichen Sie im Kurs.**

Ich esse/trinke		Fisch/Schweinefleisch.
Die Deutschen/Schweizer/	viel / mehr ... als	Currywurst mit Pommes.
Österreicher essen/trinken	gern / lieber ... als /	Kartoffeln/Reis/Nudeln.
In meinem Land essen/	am liebsten / kein(en)	Schokoladentorte.
trinken die Menschen		Bier/Wein/Wasser.

1. ....

2. ....

3. ....

4. ....

5. ....

6. ....

13 **Vanille, Schokolade oder Erdbeere?** **Lesen Sie den Dialog und ergänzen Sie die Sätze.**

☯ Ich mag gern Schokolade und Vanille. Und du, Laura?

♣ Vanille? Nein, ich mag gern Schokolade, aber noch
lieber mag ich Erdbeere. Und du, Lukas?

☯ Ich mag am liebsten Vanille!

☯ Und jetzt? Ich kann nur eine Kugel Eis kaufen.
Lukas, magst du auch gern Schokolade?

☯ Nein, ich mag lieber Erdbeere.

♣ Ja, Erdbeere!

☯ O.k. Bitte eine Kugel – Erdbeere.

Lukas   **Laura**   Tim

1. Tim mag gern .... und ....

2. Laura mag lieber .... als Schokolade.

3. Lukas mag am liebsten ....

4. Lukas mag lieber .... als Schokolade.

14 *gern, lieber, am liebsten.* **Ergänzen Sie.**

| gern – gern – lieber – lieber – lieber – am liebsten – besser – am besten |

1. Reis esse ich nicht so ...., ich esse .... Nudeln.

2. Möchtest du .... Tee oder Kaffee?

3. Ich esse .... Obst und .... esse ich Bananen.

4. Ich mag keinen Tee, ich trinke .... Wasser.

5. Ich finde Apfelsaft schmeckt .... als Wasser.

6. Was schmeckt dir ....? Pizza oder Nudeln?

15 Das Fragewort *welch-*. **Ergänzen Sie.**

1. ♀ .... Käse möchten Sie?

   ♂ Den Camembert, bitte.

2. ♀ .... Lebensmittel kaufen Sie oft ein?

   ♂ Brot, Milch und Obst.

3. ♀ .... Marmelade isst du lieber: Erdbeere oder Aprikose?

   ♂ Ich esse am liebsten Erdbeermarmelade.

4. ♀ .... Obst kaufst du?

   ♂ Ich nehme Äpfel und Bananen.

5. ♀ .... Gemüse ist heute billig?

   ♂ Gurken und Salat.

16 Beruf Kellner. **Lesen Sie und beantworten Sie die Fragen.**

Andreas Stein ist Kellner und arbeitet im Restaurant „Am Schloss" in Köln.
Er arbeitet von Dienstag bis Sonntag von 17 bis 24 Uhr. Am Montag hat er frei.
Er bringt den Gästen zuerst die Speisekarte und berät sie. Er erklärt die Zutaten
oder empfiehlt einen Wein. Dann schreibt er die Bestellungen auf. Am liebsten
bestellen die Gäste „Fisch im Gemüsebett", das ist eine Spezialität im
Restaurant „Am Schloss". Herr Stein bringt das Essen und die Getränke und am
Ende die Rechnung. Nach dem Essen trinken die Gäste gern noch einen Kaffee.

Andreas Stein (26)

1. Wie ist die Arbeitszeit von Andreas Stein? ....

2. Was macht er? ....

3. Was essen die Gäste am liebsten? ....

4. Was machen die Gäste oft nach dem Essen? ....

17 Flüssig sprechen. **Hören Sie und sprechen Sie nach.**

2.30

1. keine Wurst. – Käse, aber keine Wurst. – Ich mag Käse, aber keine Wurst.
2. nicht so gern. – Fisch nicht so gern. – Robert isst Fisch nicht so gern.
3. gern Kaffee. – Ich trinke gern Kaffee. – Ich mag keinen Tee, ich trinke gern Kaffee.
4. als Orangen. – lieber Äpfel als Orangen. – Nora isst lieber Äpfel als Orangen.

18 Gern oder nicht gern? **Was essen und trinken Sie gern oder nicht gern?**
Schreiben Sie sechs Sätze.

1. Ich ....

2. ....

3. ....

4. ....

5. ....

6. ....

19 In der Küche. **Ordnen Sie die Wörter zu. Manche Wörter passen mehr als einmal.**

Wasser – Fleisch – Nudeln – Zwiebel – Fisch – Eier – Kuchen – Kartoffeln – Auflauf – Reis – Pizza

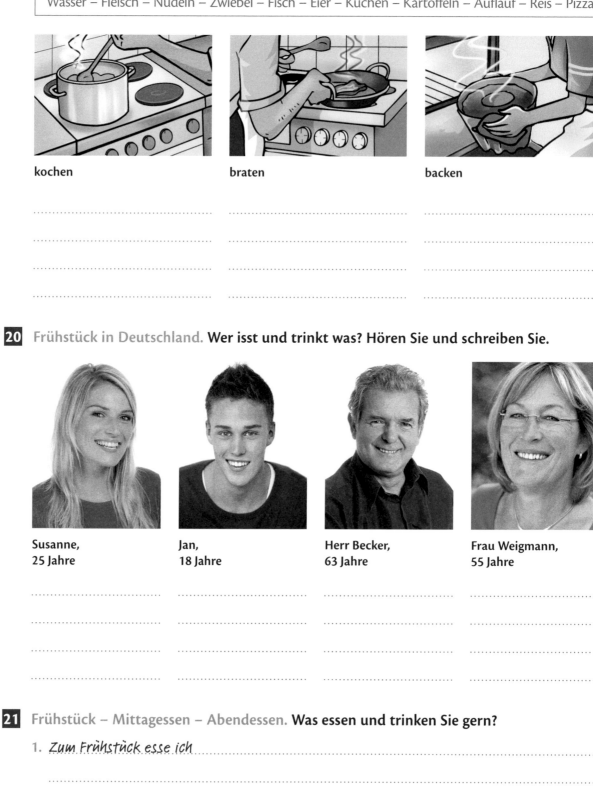

kochen

braten

backen

....
....
....
....

20 Frühstück in Deutschland. **Wer isst und trinkt was? Hören Sie und schreiben Sie.**

2.31

Susanne,
25 Jahre

Jan,
18 Jahre

Herr Becker,
63 Jahre

Frau Weigmann,
55 Jahre

....
....
....
....

21 Frühstück – Mittagessen – Abendessen. **Was essen und trinken Sie gern?**

1. *Zum Frühstück esse ich* ....
   ....

2. *Zum Mittagessen* ....
   ....

3. *Zum Abendessen* ....
   ....

Fit für Einheit 11? Testen Sie sich!

einkaufen

💬 Sie .... bitte?   👉 Ich .... 1 kg Bananen.   ▸ KB 2.3, 2.7

nach dem Preis fragen und antworten

💬 Was .... 1 kg Tomaten?   👉 .... 2,99 Euro.   ▸ KB 2.5

sagen, was man (nicht) gern mag

💬 Was trinkst du gern?   👉 Ich trinke gern ....

💬 Welches Obst magst du am liebsten?   👉 ....   ▸ KB 4.2, 4.3

Wortfelder

Lebensmittel, Maße und Gewichte

Obst / Gemüse

Milchprodukte

Maße / Gewichte

500 g   ▸ KB 1.1, 2.1

Grammatik

Komparation: *viel, gut, gern*

viel – mehr – .... ; gut – .... – am besten; .... – lieber – am liebsten

▸ KB 3.5

das Fragewort *welch-*
Nominativ:

💬 .... Käse ist aus der Schweiz?   👉 Der Bergkäse.

Akkusativ:

💬 .... Eis isst du am liebsten?   👉 Schokolade!   ▸ KB 3.6

das Verb *mögen*

💬 .... du Nudeln?   👉 Ja, ich .... Nudeln sehr gern.   ▸ KB 4.2

Aussprache

2.32

die Endungen *-e, -en, -el* **und** *-er*

der Käse – die Äpfel – der Kuchen – die Eier – das Brötchen – die Banane –
die Kartoffel – die Tomaten   ▸ KB 2.4, 3.7

Hier lernen Sie

▷ über Kleidung und Farben sprechen
▷ Kleidung kaufen
▷ Farben und Größen nennen
▷ Wetterinformationen verstehen; über Wetter sprechen

Der Sommer kann kommen!

Sonne, Wärme, Natur – wir haben wieder Lust auf coole Mode in vielen Farben.
Blau, Gelb und Pink sind in.

24

1 Modetrends im Frühling und Sommer

1 Aus einer Modezeitschrift

Ü1–3

a) **Welche Wörter zum Thema Kleidung kennen Sie? Lesen Sie und markieren Sie die Wörter im Text.**

b) **Wer ist wer? Lesen Sie noch einmal und notieren Sie die Namen der Personen.**

hellblau

rosa/pink

grün

orange

Modetrends

25

gelb

grau

schwarz

rot

braun

blau

Trends kommen und gehen, Jeans bleiben. Denise kombiniert eine gelbe Jacke, ein weißes T-Shirt und enge, dunkelblaue Jeans. Jöran trägt eine blaue Jeans, eine dunkelblaue Kapuzen-Jacke und einen bunten Schal. Paula mag den Lagen-Look und trägt zur Jeans ein weißes und ein rotes T-Shirt. Mut zum Hut haben Doria und Chantal. Chantal mag hellblaue Jeans und pinke T-Shirts, Doria kombiniert zum Hut braune Stiefel, dunkelblaue Jeans und einen grauen Mantel. Omar mag beige Hosen und Kapuzen-pullover in Orange. Grün ist die Hoffnung – Sarah hofft auf gutes Wetter und trägt einen grünen Rock und eine graue Bluse. Die Mode in der Arbeitswelt bleibt klassisch: Jan trägt einen dunklen Anzug und ein blaues Hemd, Natalia ein weißes Kleid und eine schwarze Jacke – Schwarz und Weiß kommen nie aus der Mode!

2 Über Kleidung sprechen. **Fragen und antworten Sie.**

Ü4–6

Redemittel

nach Kleidung fragen

| Tragen Sie gern / Trägst du gern Mögen Sie / Magst du | Blusen / Jeans / T-Shirts / Mäntel / Röcke? | Ja, sehr gern. Nein, ich trage lieber T-Shirts. Nein, ich mag lieber Hosen. |

ABC

zweihundertdrei

gelb

grau

schwarz

rot

braun

blau

2 Kleidung und Farben

1 Kleidung und Farben im Kurs

Ü7

a) Nennen Sie eine Farbe und ein passendes Kleidungsstück.

> Rot!
> Das T-Shirt von Marina.
> Schwarz!
> Die Hose von Jannek!

b) Ich sehe was, was du nicht siehst, und das ist ... Spielen Sie.

> Ich sehe was, was du nicht siehst, und das ist grün.
> Die Pflanze?
> Der Stuhl?
> Richtig, der Stuhl.
> Das Wörterbuch?

2 Über Farben und Kleidung sprechen

a) Fragen Sie und antworten Sie im Kurs.

> Trägst du / Tragen Sie gern Blau?

Ja, Blau mag ich.   Nein, lieber Rot.

b) Fragen Sie und antworten Sie im Kurs.

> Ziehst du / Ziehen Sie gern Hemden an?

Nein, lieber T-Shirts.   Ja, Hemden ziehe ich gern an. /
Hemden? Ja, die ziehe ich gern an.

> die Anzüge – die Pullover –
> die Hosen – die Blusen –
> die Röcke – die Kleider –
> die Jacken – die Mäntel –
> die Schals – die Stiefel

3 Umlaut im Plural. **Hören Sie und sprechen Sie nach.**

2.20

der Anzug – die Anzüge   der Mantel – die Mäntel   der Rock – die Röcke

4 Über Kleidung sprechen. **Fragen und antworten Sie.**

Ü8–9

Redemittel	fragen, was gefällt / nicht gefällt	so kann man antworten
	Wie gefällt Ihnen/dir das T-Shirt?	Das gefällt mir (sehr) gut. / Das gefällt mir (gar) nicht / überhaupt nicht.
	Wie finden Sie / findest du den Mantel?	Den finde ich schön/schick/altmodisch/ hässlich/cool.
	Was ziehen Sie / ziehst du gern an?	Ich ziehe gern Hosen an. / Ich trage gern ... Ich ziehe am liebsten Röcke an.

5 **Was tragen Sie gern? Kombinieren Sie.**

| Ich mag
Ich trage gern | weiße
braune
schwarze
helle | Röcke
Hosen
Jeans
Schuhe | und | blaue
graue
bunte
schwarze | Hemden.
Pullover.
T-Shirts.
Mäntel. |

6 Farben im Fußball. **Lesen Sie und vergleichen Sie.**

Das ist Cristiano Ronaldo.
Sein T-Shirt ist rot.
Er trägt **ein rotes** T-Shirt.
Seine Hose ist auch rot.
Er trägt **eine rote** Hose.

Das ist der Trainer.
Sein Trainingsanzug
ist schwarz.
Er trägt **einen
schwarzen** Trainings-
anzug.

Das ist die Frauen-Nationalmannschaft aus Deutschland.
Ihre T-Shirts sind weiß.
Die Spielerinnen tragen **weiße** T-Shirts.
Ihre Hosen sind schwarz.
Sie tragen **schwarze** Hosen.

7 Adjektive im Akkusativ mit unbestimmtem Artikel

8 Ü10–11

a) **Ergänzen Sie die Tabelle mit Beispielen aus der Einheit.**

Grammatik		*den*	*das*	*die*
	Singular	einen schwarzen Trainingsanzug ...	ein gelbes T-Shirt ...	eine blaue Hose ...
	Plural	schwarze Anzüge/T-Shirts/Hosen		

rot
blau
gelb
grün
braun
orange
türkis
beige
lila
rosa
grau
weiß
schwarz
bunt

b) **Welche Farben trägt Ihre Lieblingsmannschaft? Ergänzen Sie.**

Meine Lieblingsmannschaft ist ....

Die Spieler/innen tragen .... T-Shirts und .... Hosen.

8 **Ein Spiel im Kurs.**
Wer ist das?

Sie trägt eine grüne Bluse und einen schwarzen Rock.

Das ist Juliette!

9 *ie – u – ü* und *e – o – ö*. **Hören Sie und sprechen Sie nach.**

2.21

Ich trage lieber grün. – Ich ziehe gern grüne Blusen an. – Ich liebe bunte Anzüge.
Die Hose ist sehr schön. – Ich trage gern gelbe Röcke. – Nein, ich trage lieber rote Röcke.

ABC

3 Einkaufsbummel

1 Shoppen gehen

a) Was passt? Hören Sie und ordnen Sie die Dialoge den Bildern zu.

2.22
Ü12

a

1. 💬 Entschuldigung, ich suche Jacken und Mäntel.
   Wo finde ich die?
   👄 Für Herren?
   💬 Ja, für mich.
   👄 In der ersten Etage oder in der dritten Etage,
   in der Sportabteilung.
   💬 Vielen Dank.

b

2. 💬 Hallo, ich suche ein blaues Hemd.
   👄 Welche Größe denn?
   💬 Äh, 50?
   👄 Einen Moment, bitte. Wie gefällt Ihnen dieses?
   Wollen Sie das anprobieren?
   💬 Ja, das ist schön. Aber sind die Ärmel nicht zu lang?
   👄 Nein, das trägt man jetzt so. Das ist voll im Trend.
   💬 Na, ich weiß nicht …

c

3. 👄 Guten Tag, kann ich Ihnen helfen?
   💬 Ja, ich suche eine schwarze Jeans.
   👄 Eine bestimmte Marke?
   💬 Das ist egal, aber nicht so teuer.
   👄 Welche Größe denn?
   💬 Diese hier ist 34/32.
   👄 Gut. Wie gefällt Ihnen diese Jeans?
   💬 Die ist aber dunkelgrau, nicht schwarz.
   👄 Ja, aber die ist im Angebot. Nur 19,99 €!
   💬 Oh, super! Ich probiere sie an.
   👄 Die Jeans passt, oder?
   💬 Ja, sehr gut. Die nehme ich.

b) Lesen Sie die Dialoge mit verteilten Rollen.

c) Üben Sie:
andere Kleidung,
andere Farben,
andere Größen.

2 Fragen üben. **Wie fragen Sie?**

Sie denken: – Dunkelgraue Jeans gefallen mir nicht.
   – Die Bluse ist zu klein.
   – Das blaue Hemd steht mir nicht.
   – Ich möchte einen Anzug anprobieren.

Sie sagen:

*Haben Sie die Jeans
auch in Blau?*

3 Einkaufsdialoge
Ü13–14

a) **Kundin/Kunde oder Verkäufer/in? Wer sagt was? Ordnen Sie zu.**

> Ich suche ein Kleid / einen Anzug / eine Hose. – Die Größe haben wir leider nicht. – Kann ich Ihnen helfen? – Kann ich das anprobieren? – Grün steht Ihnen sehr gut / nicht so gut. – Haben Sie den Rock in Größe 40? – Das Kleid passt nicht. Das ist mir zu klein/groß. – Das steht mir nicht. – Welche Größe denn? – Haben Sie die Hose in Grün? – Wo ist die Umkleidekabine? – Wollen Sie das anprobieren? – Wie gefällt Ihnen das? – Wie steht mir das? – Das nehme ich.

die Verkäuferin / der Verkäufer	die Kundin / der Kunde

b) **Rollenspiel: Kleidung kaufen. Schreiben Sie Dialoge. Üben Sie die Dialoge mit verschiedenen Partnern.**

4 Projekt: Einkaufen online. **Sie haben 100 Euro. Kaufen Sie Kleidung für den Sommer- oder Winterurlaub. Machen Sie eine Liste und berichten Sie.**

Kleidungsstück	Preis	Farbe

Internettipp
www.zara.com
www.zalando.de
www.hm.com/de

5 Demonstrativa. **Lesen Sie und ergänzen Sie die Tabelle.**
Ü15–17

☝ Lange Röcke, T-Shirts und Jeans sind in.

Nominativ		Akkusativ	
der Rock	*dieser* Rock	*den* Rock	Rock
das T-Shirt			*dieses* T-Shirt
die Jeans			

4 Es gibt kein schlechtes Wetter ...

1 Das Wetter in Deutschland und in anderen Ländern. **Lesen Sie und markieren Sie Wörter zum Thema Wetter.**

Jenny aus Kuantan	Wie ist das Wetter bei euch?
Jo aus Deutschland	Es regnet hier seit drei Tagen. Das ist normal im November. Im Herbst regnet es bei uns am meisten. Es ist oft bewölkt und windig und früh dunkel. Und bei euch?
Jenny aus Kuantan	Wir haben keinen Herbst. Wir haben nur zwei Jahreszeiten: Regenzeit und Trockenzeit. In der Trockenzeit ist es sonnig und sehr heiß.
Jo aus Deutschland	Wir haben vier Jahreszeiten: Frühling, Sommer, Herbst und Winter. Manchmal auch am gleichen Tag! ☺ Richtig heiß ist es nur im Sommer. Dann ist es lange hell und wir feiern Grillpartys draußen. Welches Wetter mögt ihr in Malaysia?
Jenny aus Kuantan	Nicht zu viel Sonne und nicht zu viel Regen, nicht zu kalt und nicht zu heiß. Einfach normal.
Jo aus Deutschland	Was heißt „normal"? Bewölkt ist hier normal. Mit viel Glück schneit es im Winter (also von Dezember bis Februar) und nicht mehr im Frühling ...

2 Wetterwörter. **Ordnen Sie zu und arbeiten Sie mit dem Minimemo.**

21   Ü18

Minimemo

Wetterwort *es*:
Es regnet. Es schneit.
Es ist sonnig. Es ist bewölkt.
Es ist windig. Es ist heiß.
Es ist kalt. Es ist neblig.

☐ die Sonne   ☐ der Wind
☐ die Wolken   ☐ die Hitze
☐ der Regen   ☐ der Schnee
☐ die Kälte   ☐ der Nebel

3 Städtewetter

a) **Hören Sie und kreuzen Sie an.**

2.23
Ü19

	sonnig/heiter	bewölkt	Regen	Schnee
Athen	☐	☐	☐	☐
Berlin	☐	☐	☐	☐
London	☐	☐	☐	☐
Madrid	☐	☐	☐	☐
Moskau	☐	☐	☐	☐
Rom	☐	☐	☐	☐
Lissabon	☐	☐	☐	☐

b) Fragen und antworten Sie.

Wie ist das Wetter bei euch in Rom?

Bei uns ist es sonnig.

4 Aussprache *i – ü* oder *e – ö*? **Hören Sie und sprechen Sie nach.**

2.24

Es regnet in Berlin und Zürich. – Es ist sonnig in Bern und Köln. –
In Paris und München schneit es. – Es ist bewölkt in Jena. –
Das Wetter in Athen ist schön. – In Kiel und Nürnberg ist es heiter.

5 Farben und Bedeutung interkulturell

a) Hören Sie und lesen Sie mit.

2.25

Welche Farbe hat die Welt?

Als ich klein war, ging ich zum Vater
mit dem Malbuch in der Hand und ich fragte:
Welche Farbe hat die Welt?

Welche Farbe hat die Welt?
Ist sie schwarz oder grün?
Ist sie blau oder gelb?
Ist sie rot wie die Rosen oder braun wie die Pferde,
oder ist sie so grau wie des Schäfers große Herde?

Grün sind die Bäume und die Gräser und das Laub.
Bäume tragen Früchte und vertilgen den Staub.
Blau ist das Meer, das die Sonne immer küsst,
blau ist der Himmel,
der dir zeigt, wie klein du bist.

Rot, das ist die Liebe, sie darf niemals vergeh'n,
wenn du erst einmal groß bist, wirst du das versteh'n.
Denn bist du ohne Liebe, dann fehlt dir auch das Glück,
wenn du sie später findest, denk an mein Wort zurück!

Welche Farbe hat die Welt …

b) Welche Bedeutung haben die Farben im Lied?

c) Welche Assoziationen haben Sie?

die Liebe

der Himmel

rot

blau

ABC

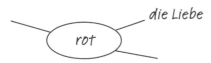

1 Die Kleidung. **Was tragen die Personen? Schreiben Sie.**

die Bluse ....

....

die Schuhe ....

....

2 Modetrends im Frühling und Sommer

a) **Lesen Sie den Magazin-Text (Seite 202/203) noch einmal. Was ist richtig? Kreuzen Sie an.**

	richtig	falsch
1. Dunkle Farben sind dieses Jahr in.	☐	☐
2. Jeans bleiben immer in Mode, egal ob dunkel oder hell.	☐	☐
3. Bei gutem Wetter trägt Sarah gern Rot.	☐	☐
4. Ein dunkler Anzug ist klassisch.	☐	☐
5. Die Farben Blau und Schwarz bleiben immer aktuell.	☐	☐

b) **Korrigieren Sie die falschen Aussagen.**

1. Blau, Gelb und ....

2. ....

3. ....

3 Modeberaterin Frau Günther im Interview

2.33

a) **Hören Sie und bringen Sie die Fragen in die richtige Reihenfolge.**

☐ Und welches Kleidungsstück ist im Sommer besonders in?
☐ Frau Günther, was sind die Modetrends für den Frühling und Sommer?
☐ Und der Trend für den Sommer?

Alice Günther (41)

b) **Welche Farben und welche Kleidungsstücke sind im Sommer in?**
Hören Sie noch einmal und schreiben Sie.

	Farben	Kleidungsstücke
Frauen	....	....
Männer	....	....

4 Herr Schwarz fährt in den Urlaub. **Was nimmt er mit? Schreiben Sie.**

Er nimmt vier Hemden ....
....
....
....
....
....

5 Was trägst du gern?

2.34 a) **Welches Foto passt?**
Hören Sie und kreuzen Sie an.

1. a ☐ b ☐   2. a ☐ b ☐

2.35 b) **Textkaraoke. Hören Sie und**
sprechen Sie die 👄-Rolle im Dialog.

1. 👂 ...
   👄 Nein, ich trage lieber Hosen.
   👂 ...
   👄 Ja, ich liebe T-Shirts.

2. 👂 ...
   👄 Nein, ich trage lieber Kapuzenpullover.
   👂 ...
   👄 Hemden? Nein, ich mag keine Hemden.

c) **Was tragen die Personen? Schreiben Sie.**

Paula trägt ein T-Shirt und eine Jeans. Sie mag die Farben Rot und Blau.

6 Die Verben *tragen* und *mögen*.
Ergänzen Sie.

tragen	mögen
ich *trage*	ich _____
du _____	du _____
er/es/sie _____	er/es/sie _____
wir _____	wir _____
ihr _____	ihr _____
sie/Sie _____	sie/Sie _____

1. _____ du gern Blusen?

Ja, ich *trage* gern Blusen.

2. *Mögen* Sie die Farbe Gelb?

Ja, ich _____ Gelb.

3. *Mag* er Turnschuhe?

Nein, er _____ keine Turnschuhe.

7 Bildlexikon: Farben mischen

a) **Welche Farben sehen Sie? Schreiben Sie.**

b) **Wie mischt man Farben? Schreiben Sie.**

grau: _____ + _____   grün: _____ + _____

rosa: _____ + _____   orange: _____ + _____

braun: _____ + _____   violett: _____ + _____

8 Wie findest du ...?

a) **Ergänzen Sie die Pluralform.**

1. 💬 Gefällt dir der Hut?   👎 Nein, ich finde _____ altmodisch.

2. 💬 Gefällt dir der Anzug?   👍 Ja, ich finde _____ schick.

3. 💬 Gefällt dir der Rock?   👍 Ja, ich finde _____ elegant.

((•)) b) **Hören Sie und sprechen Sie nach.**
2.36

9 Über Geschmack sprechen

a) **Was gefällt Alica, Pia und Bente? Lesen Sie und ergänzen Sie die Namen.**

 Alica Diese Fotos habe ich im Internet gefunden. Wie gefällt euch der neue Modetrend für den Sommer?

 Pia B. Die Fotos gefallen mir überhaupt nicht. Die Kleider sind hässlich, zu viele Farben!

 Bente Die Kleider gefallen mir sehr gut. Das ist doch super schick. Bunte Kleider sind wieder in. Wie findet ihr den Hut?

 Alica Den finde ich schick. Ich trage gern Hüte. Was zieht ihr gern an?

 Pia B. Ich ziehe super gern Röcke an, aber am liebsten trage ich Jeans.

1. .... findet die Kleider zu bunt.

2. .... gefällt der Hut gut.

3. .... gefallen die Sommerkleider.

4. .... zieht am liebsten Jeans an.

b) **Wie gefällt Ihnen der Modetrend und was ziehen Sie gern an? Schreiben Sie.**

....
....

10 Schöne Möbel für ein neues Wohnzimmer

a) **Sie sind umgezogen. Welche Möbel kaufen Sie für Ihr Wohnzimmer? Schreiben Sie.**

das Bücherregal – das Sofa – die Lampe – der Sessel – der Tisch – die Vase – die Bilder – die Stehlampe – die Kommode

Ich kaufe ein ....
....
....
....
....

b) **Und welche Farbe haben die Möbel? Kombinieren Sie und schreiben Sie Sätze.**

ein braunes oder weißes Regal
eine rote oder grüne Vase
einen weißen oder roten Schrank
eine schwarze oder blaue Kommode

ein graues oder gelbes Sofa
eine graue oder blaue Lampe
einen gelben oder braunen Tisch
einen grünen oder roten Sessel

In meinem Wohnzimmer habe ich ...

c) **Unterstreichen Sie in Ihrem Text die Adjektivendungen und ergänzen Sie.**

der Schrank: Ich habe einen Schrank.   Ich habe einen neu.... Schrank.

das Sofa: Ich habe ein Sofa.   Ich habe ein neu.... Sofa.

die Lampe: Ich habe eine Lampe.   Ich habe eine neu.... Lampe.

die Bilder: Ich habe Bilder.   Ich habe neu.... Bilder.

11 Familie Kühn macht Sport. **Ergänzen Sie die Adjektivendungen.**

Familie Kühn macht viel Sport.

Frau Kühn spielt Fußball. Sie trägt eine grün.... Hose, ein schwarz.... T-Shirt und weiß.... Schuhe.

Ihr Mann spielt Tennis. Heute hat er einen blau.... Trainingsanzug und gelb.... Schuhe angezogen.

Ihr Sohn geht joggen. Er zieht eine schwarz.... Hose und einen rot.... Pullover an.

Ihre Tochter tanzt. Sie trägt ein blau.... Kleid und schwarz.... Schuhe.

12 Einkaufsdialoge. **Ordnen Sie die Antworten zu. Hören Sie dann und kontrollieren Sie.**

2.37

> 36 oder 38. – Die blaue Jacke gefällt mir nicht. Ich probiere die braune an. Wo ist die Umkleidekabine? – Nein, die Ärmel sind zu lang. Sie steht mir nicht. – Ja, ich suche eine Jacke.

💬 Guten Tag! Kann ich Ihnen helfen?

👄 ....

💬 Welche Größe haben Sie denn?

👄 ....

💬 Wir haben hier eine braune Jacke in 38 und eine blaue in Größe 36.

👄 ....

....

💬 Hinten rechts. Und passt Ihnen die Jacke?

👄 ....

....

13 Textkaraoke. **Hören Sie und sprechen Sie die 👄-Rolle im Dialog.**

2.38

👂 ...
👄 Ich suche eine Hose.
👂 ...
👄 Größe 40. Haben Sie eine schwarze Hose fürs Büro?
👂 ...
👄 Kann ich die in Blau anprobieren?

👂 ...
👄 Hmm ... die gefällt mir gut. Sie ist auch sehr bequem. Steht sie mir?
👂 ...
👄 Gut, dann nehme ich sie.

14 Sie brauchen Kleidung für Ihren Urlaub. **Stellen Sie Fragen.**

1. Sie suchen eine Fahrradhose. ....?

2. Sie brauchen die Hose in Größe 42. ....?

3. Sie wollen ein T-Shirt anprobieren. ....?

4. Sie wollen die Hose in Rot. ....?

15 Das gefällt mir auch nicht!

a) **Zu welchen Kleidungsstücken passen die Dialogteile? Ordnen Sie zu.**

1. 💬 Also dieses T-Shirt ist toll!
   ⟳ Dieses T-Shirt ist doch zu kurz.
   Das gefällt mir nicht.
2. 💬 Aber diese Schuhe sind super.
   Ich liebe schwarze Schuhe!
   ⟳ Hmm, ich finde die zu hoch.
3. 💬 Und diese Jacke? Die ist schön.
   ⟳ Ich mag diese Jacke nicht, die ist
   zu bunt.
4. 💬 Und die Hose? Ich finde diese Hose
   schick. Oder?
   ⟳ Na ja, mir gefällt sie nicht.
   💬 Was gefällt dir dann?

b) **Markieren Sie in a) die Demonstrativa.**

16 Dieser oder dieser hier? **Ergänzen Sie welch- oder dies-.**

1. 💬 .... Wintermantel findest du schöner? .... oder ....?

   ⟳ Ich finde .... hier schöner. Aber .... ist wärmer?

   💬 Beide sind warm. Ich nehme .... hier.

2. 💬 .... Stiefel sind Größe 39?   3. 💬 Gefällt dir .... Kleid?

   ⟳ .... hier.   ⟳ ....? Dieses hier? Nein,

   💬 Und .... hier nicht?   aber .... ist schön!

   ⟳ Nein, ... sind Größe 38.   💬 .... Kleid ist doch zu klein!

17 Lennart im Kleidungsgeschäft. **Hören Sie und antworten Sie.**

2.39

1. Was möchte Lennart kaufen? ....

2. Welche Größe hat er? ....

3. Welche Farbe mag er? ....

18 Frühling, Sommer, Herbst und Winter. **Wie ist das Wetter? Was kann man machen? Was zieht man an? Sammeln Sie.**

19 Europawetter

2.40

a) **Wie warm ist es in ...? Hören Sie und ergänzen Sie die Temperaturen auf der Karte.**

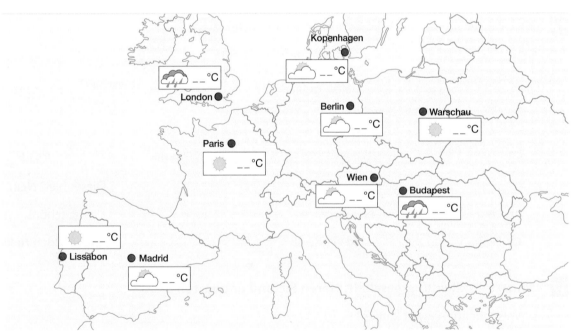

b) **Wie ist das Wetter in ...? Hören Sie noch einmal und schreiben Sie.**

Madrid: Es ist bewölkt.

Fit für Einheit 12? Testen Sie sich!

Mit Sprache handeln

über Kleidung sprechen

💬 Wie gefällt dir der Rock? ⟳ ....

💬 Was ziehen Sie gern an? ⟳ ....

▸ KB 1.2, 2.4, 2.5

Kleidung kaufen; Farben und Größen angeben

💬 Kann ich Ihnen helfen? ⟳ .... (ein blaues Hemd)

💬 ....? ⟳ Größe 42.

▸ KB 3.1–3.4

Wetterinformationen verstehen; über Wetter sprechen

💬 Wie ist das Wetter? ⟳ .... (10 °C, Regen, Nebel)

▸ KB 4.1–4.3

Wortfelder

Kleidung

Kleidung für Frauen: *das Kleid*, ...

Kleidung für Männer: ....

▸ KB 1.1

Farben

 ....

▸ KB 1.1, 2.1, 2.2

Wetter

die Sonne: *Es ist sonnig.* ....   der Regen: ....   der Schnee: ....

▸ KB 4.2

Grammatik

Adjektive im Akkusativ

Die Frau trägt ein weiß.... T-Shirt, eine schwarz.... Hose und rot.... Schuhe.   ▸ KB 2.6 – 2.8

Demonstrativa

💬 Gefällt dir .... Kleid? ⟳ Nein, ... hier gefällt mir nicht. Aber .... ist schön!   ▸ KB 3.5

Aussprache

2.41

Umlaut oder nicht?

der R....ck – die R....cke; der H....t – die H....te; ich tr....ge – er tr....gt; er m....g – ihr m....gt

▸ KB 2.3

i – ü oder *e – ö*?

B....rn und K....ln   Par....s und M....nchen   ▸ KB 2.9, 4.4

Hier lernen Sie

▷ Körperteile nennen
▷ beim Arzt: sagen, was man hat und was weh tut
▷ Empfehlungen und Anweisungen geben
▷ über Emotionen sprechen

1 Von Kopf bis Fuß

Laufen ist ein Volkssport. Immer mehr Menschen erholen sich bei einer Runde um den See, durch den Wald oder im Stadtpark. Laufen macht den Kopf frei und öffnet die Augen und Ohren für die Natur. Ein bisschen Übung und schon schafft man den ersten 5-km-Lauf. Beine, Füße, Herz und Lunge – Laufen trainiert den ganzen Körper.

Training und gesundes Essen gehören beim Bodybuildir zusammen. Die Sportler brauchen starke Muskeln. Sie mü sen Arme, Beine, Schultern, Bauch und Rücken trainiere Das verbraucht oft mehr als 5000 Kalorien. Für Bodybuild heißt das jeden Tag Fisch, Fleisch, Milchprodukte und Gemüs essen – und zwei Stunden Training im Fitness-Studio.

22

1 **Fit bis in die Fingerspitzen**

Ü1

a) Sehen Sie die Fotos an. Welche Sportarten kennen Sie?

b) Lesen Sie die Texte aus dem Sportmagazin. Markieren Sie alle Körperteile.

c) Zu welchen Sportarten passen die vier Aussagen?

1. Gestern war ich auf über 2700 Metern.
2. Täglich ins Training ist ok, aber man muss auch ziemlich viel essen.
3. Es macht Platz im Kopf für neue Ideen.
4. Man braucht viel Konzentration für die langsamen Bewegungen.

d) Kommentieren Sie die Sportarten.

Tai Chi finde ich …

Ich mag …

Ski fahren

Volleyball spielen

Tauchen

Tanzen

Gymnastik m

r Winter ist vorbei und Berg-Fans haben wieder Lust auf ihr
∣blingshobby. Sie müssen jetzt das Training planen. Der Bergsport
nicht ungefährlich – Bergsteiger brauchen nicht nur starke Arme
∣d Beine, auch Bauch und Rücken dürfen sie auf keinen Fall im
∣aining vergessen. Hartes Training ist wichtig – vor dem Glück auf
∣er 1000, 2000 oder 3000 Metern!

Langsam den Arm heben, die Finger strecken, das linke Bein
anwinkeln, alles mit viel Ruhe. Tai Chi kombiniert Entspannung
und Konzentration und ist gut für den Körper und den Kopf.
Den Sport kann man überall machen: im Fitness-Studio, im
Park und zu Hause. Gut ist: Jeder kann Tai Chi lernen – auch
Senioren. Für sie gibt es spezielle Kurse.

23

2 Körperteile von oben nach unten nennen. **Ordnen Sie und sprechen Sie schnell.**

Ü2

a) die Nase, das Bein, das Knie,
   der Fuß, das Auge, der Bauch

b) der Mund, der Bauch, die Haare,
   der Hals, die Ohren, die Füße

3 Körperteile und Tätigkeiten.

Ü3–6 **Was passt? Ergänzen Sie.**

essen

küssen

laufen

ABC

Fußball spielen

Fahrrad fahren

Tennis spielen

Schwimmen

Yoga machen

2 Bei der Hausärztin

))ꗃ **1** Herr Aigner hat Fieber und Halsschmerzen. **Er macht einen Termin bei seiner Hausärztin.**
2.26 **Hören Sie und notieren Sie den Termin.**

2 Anmeldung in der Arztpraxis

))ꗃ **a) Hören Sie und lesen Sie mit. Was ist anders?**
2.27
Ü7 ꕢ Guten Morgen, mein Name ist Aigner.
  Ich habe einen Termin.
 ꕶ Morgen, Herr Aigner. Waren Sie in diesem Quartal
  schon mal bei uns?
 ꕢ Nein, in diesem Quartal noch nicht.
 ꕶ Dann brauche ich Ihre Versichertenkarte.
 ꕢ Hier, bitte. Muss ich warten?
 ꕶ Ja, aber nicht lange. Sie können im Wartezimmer
  Platz nehmen. Die Ärztin kommt gleich.

b) Lesen Sie den Dialog laut. Achten Sie auf Aussprache und Betonung.

Landeskunde

Seit über 100 Jahren gibt es in Deutschland die Krankenversicherung. Arbeitnehmer müssen
sich versichern. Alle Versicherten bekommen eine Chipkarte. Beim Arzt muss man sie zeigen.
Die Krankenversicherung bezahlt nicht alle Arztkosten. Medikamente kauft man
in der Apotheke. Für viele Medikamente braucht man ein Rezept vom Arzt.
Tabletten gegen Kopfschmerzen und Hustensaft kann man
auch ohne Rezept kaufen.

3 Im Sprechzimmer. **Hören und sprechen Sie den Dialog.**

2.28 Ü8–9

🗨 Guten Tag, Herr Aigner. Was fehlt Ihnen denn?

🗨 Ich habe seit drei Tagen Fieber, mein Hals tut weh und ich habe Kopfschmerzen.

🗨 Sagen Sie mal „Aaaah"! Husten Sie mal! Alles rot. Sie haben eine Angina.

🗨 Wie bitte?

🗨 Eine schwere Halsentzündung. Sie sind stark erkältet. Ich verschreibe Ihnen Tabletten und Hustensaft. Bitte nehmen Sie die am Morgen, Mittag und Abend. Rauchen Sie?

🗨 Ja, aber nicht viel. So 20 Zigaretten am Tag.

🗨 Aha, ich schreibe Sie eine Woche krank. Sie müssen viel trinken und Sie dürfen natürlich nicht rauchen. Bitte machen Sie einen Termin für nächste Woche. Gute Besserung!

🗨 Dann bis nächste Woche. Auf Wiedersehen, Frau Doktor.

Dr. Vera Hartmann, Ärztin

4 Krankheiten. **Ergänzen Sie Wörter.**

1. **Schmerzen:** *Bauch, Ohren, Rücken,* ....

2. **In der Arztpraxis:** *Termin, Wartezimmer, krank schreiben,* ....

3. **Medikamente:** *Tabletten verschreiben/nehmen,* ....

5 Rollenspiel. **Wählen Sie eine Rollenkarte aus. Schreiben und spielen Sie Dialoge mit der**

Ü10–11 **Partnerin / dem Partner.**

Herr Wondrak fühlt sich nicht gut. Er arbeitet 14 Stunden am Tag. Der Arzt schreibt ihn drei Tage krank. Herr Wondrak muss sich ausruhen und darf nicht mit der Firma telefonieren.	*Frau Beier hat seit einer Woche Schnupfen und Husten. Der Arzt verschreibt Hustensaft. Frau Beier muss viel trinken. Sie darf nicht schwimmen gehen.*	*Tobias hat Fußball gespielt. Jetzt tut sein Knie weh. Die Ärztin verschreibt eine Sportsalbe. Tobias muss sein Knie dreimal täglich einreiben. Er darf keinen Sport machen.*

<table>
<tr><th>das sagt die Ärztin / der Arzt</th><th>das sagt die Patientin / der Patient</th></tr>
<tr><td>Was fehlt Ihnen? / Wo haben Sie Schmerzen? / Tut das weh?
Haben Sie auch Kopf-/Hals-/Rückenschmerzen?
Ich schreibe Ihnen ein Rezept.
Nehmen Sie die Tabletten dreimal am Tag vor/nach dem Essen.
Sie dürfen nicht rauchen und keinen Alkohol trinken.
Bleiben Sie im Bett. Ich schreibe Sie ... Tage krank.</td><td>Ich fühle mich nicht gut. / Mir geht es nicht gut.
Ich habe Bauch-/Magenschmerzen.
Mein Arm/Knie/... tut weh.
Wie oft / Wann muss ich die Medikamente nehmen?
Wann darf ich wieder Sport machen?
Wie lange muss ich im Bett bleiben?
Ich brauche eine Krankmeldung für meinen Arbeitgeber.</td></tr>
</table>

Redemittel

ABC 📖

3   Empfehlungen und Anweisungen

1   Tipps aus der Apothekenzeitung

Ü12–13

a) **Lesen Sie den Text schnell durch (eine Minute!).**
   Was ist das Thema? Kreuzen Sie an.

1. ☐ Tipps für neue, interessante Medikamente
2. ☐ Tipps für die Gesundheit im Herbst und im Winter
3. ☐ Tipps für die Ernährung von Sportlern

 **Lerntipp**
Lesen heißt nicht übersetzen!

Stärken Sie im Herbst Ihr Immunsystem!

Falsche Kleidung bei Regen, Schnee und Kälte und am nächsten Tag tun Hals und Kopf weh – Sie haben eine Erkältung. In dieser Jahreszeit nehmen Erkältungen zu. Hier unsere Tipps für Sie: Sport und Bewegung trainieren das Immunsystem. Gehen Sie viel spazieren oder joggen Sie – auch im Winter! Duschen Sie abwechselnd heiß und kalt oder gehen Sie in die Sauna. Besonders wichtig: kein Stress! Machen Sie Gymnastik, Yoga oder Tai Chi und tanken Sie Energie. Vergessen Sie nicht, viel zu trinken, am besten Tee, Mineralwasser und frischen Orangensaft. Essen Sie in Ruhe, am besten viel Obst und Gemüse. Brot, Nudeln und Kartoffeln machen gute Laune. Essen Sie zweimal pro Woche Fisch, aber wenig Fleisch. So bleiben Sie auch im Herbst und Winter gesund und fit!

b) **Lesen Sie den Text noch einmal.**
   Sammeln Sie die Tipps gegen Erkältung.
   Haben Sie andere Tipps?

   Gehen Sie ...

c) **www.apotheken-umschau.de – Die Apothekenumschau im Internet.**
   Finden Sie drei wichtige Wörter zum Thema Gesundheit und Krankheit
   und stellen Sie die Wörter im Kurs vor.

2 Probleme und Ratschläge. **Sammeln Sie Probleme und passende Ratschläge.**
Ü14–15 **Schreiben Sie jeden Satz auf eine Karte. Suchen Sie im Kurs die passende Karte.**

 3 Imperative

Ü16

a) **Finden Sie weitere Formen im Text zu Aufgabe 1 und ergänzen Sie die Tabelle.**

Infinitiv	Imperativ (3. Pers. Pl.)	2. Pers. Sg.	Imperativ (2. Pers. Sg.)
nehmen	Nehmen Sie eine Tablette!	du nimmst	Nimm eine Tablette!
gehen	Gehen Sie zum Arzt!	du gehst	Geh zum Arzt!
...	...	...	...

Grammatik

b) **Vergleichen Sie die 2. Person Singular und den Imperativ.**
Ergänzen Sie die Regel.

Regel Imperativ = 2. Person Singular minus ....!

Minimemo
Du bist zu laut.
Sei bitte ruhig!

c) **Aussagesatz – Imperativsatz. Wo steht das Verb?**

Sie (trinken) Tee.

(Trinken) Sie Tee!

4 Drei Tipps für den Raucherstopp. **Christina hat es geschafft!**
Ü17 **Hier ihre Tipps für Hermann und Andrea.**

1. Wählt eine Zeit ohne Stress für
   den Rauchstopp, zum Beispiel den Urlaub.
2. Geht nicht in Raucherkneipen.
3. Geht mit Nichtrauchern aus.

a) **Haben Sie weitere Tipps? Welche funktionieren gut? Welche nicht?**

 b) **Ergänzen Sie die Tabelle.**

32

Infinitiv	2. Pers. Pl.	Imperativ (2. Pers. Pl.)
gehen	Ihr geht nicht auf Partys.	Geht nicht auf Partys!
...	...	...

Grammatik

 ABC

4 Emotionen

1 Wer sagt was? **Ordnen Sie die Sätze den Zeichnungen zu.**

1. ☐ Wo bleibst du? Ich warte auf dich!
2. ☐ Es ist aus, aber ich liebe ihn noch!
3. ☐ Na, wie findest du sie?
4. ☐ Holst du uns am Bahnhof ab?

2 Dichten mit Akkusativpronomen. **Schreiben Sie ein Gedicht.**

25

	höre(n)	mich	
	sehe(n)	dich	nicht
Ich	liebe(n)	ihn, sie, es	heute.
Wir	brauche(n)	uns	, oder?
	kenne(n)	euch	, aber ...
	verstehe(n)	sie	

> *Ich höre dich.*
> *Ich sehe dich.*
> *Ich liebe dich,*
> *aber wir kennen uns nicht.*

3 Ein „Liebesbrief"

Ü18

a) **Ergänzen Sie die Personalpronomen im Akkusativ.**

Liebe Jenny,

du kennst ...., wir sehen .... jeden Morgen im Bus. Ein Morgen

ohne .... ist wie ein Morgen ohne Sonne! Manchmal siehst du ....

an, das macht .... sehr glücklich. Mein Herz klopft dann sehr laut – kannst

du .... hören? Ich denke oft an .... Deine Augen, deine Haare –

du bist für .... eine Traumfrau! Ich möchte .... kennen lernen.

Kommst du morgen um 19.30 Uhr ins Café Bohème?

Viele liebe Grüße, dein Pjotr

b) **Schreiben Sie einen Antwortbrief für Jenny. Die Baukästen helfen.**
Lesen Sie Ihren Brief laut vor.

4 **Sätze mit Emotionen – das Emotionsthermometer**

Ü19

a) **Ordnen Sie die Sätze von links nach rechts und vergleichen Sie im Kurs.**

Ich mag dich!   Lass mich in Ruhe!

Ich hasse dich!   Ich hab' dich lieb!

Du nervst mich!

Ich liebe dich!   Du langweilst mich!

b) **Was denken die beiden?**

ABC

1 Yoga

a) Ordnen Sie die Tiere den Yogafiguren zu.

Yoga aus der Natur.

a .... b .... c .... d ....

der Hund   *die Kobra*   *die Katze*   *der Baum*

b) Welcher Text passt zu welchem Foto? Hören Sie und ordnen Sie zu.

2.42

c) Hören Sie noch einmal. Welche Körperteile hören Sie? Kreuzen Sie an.

- [ ] der Kopf
- [ ] die Augen
- [ ] die Ohren
- [ ] die Beine

- [ ] die Füße
- [ ] die Arme
- [ ] der Po
- [ ] der Bauch

- [ ] der Rücken
- [ ] die Finger
- [ ] die Schultern
- [ ] die Knie

- [ ] die Hände
- [ ] die Nase

2 Ein Wörterkörper.
Beschriften Sie die Person.

3 Wortverbindungen. **Was passt zusammen?
Verbinden Sie und kontrollieren Sie mit
den Texten auf Seite 218/219.**

starke Muskeln	1	a heben
Augen und Ohren	2	b trainieren
den Arm	3	c haben
den Körper	4	d anwinkeln
das Bein	5	e öffnen

4 Sport und Training. **Lesen Sie die Sportmagazin-Texte auf Seite 218/219 noch einmal. Was ist richtig? Kreuzen Sie an.**

1. Laufen ist gut für
   a ☐ Augen und Ohren.
   b ☐ den ganzen Körper.
   c ☐ den Oberkörper.

2. Bergsport
   a ☐ muss gut vorbereitet werden.
   b ☐ ist sicher.
   c ☐ kann jeder machen.

3. Bodybuilder
   a ☐ müssen einmal die Woche trainieren.
   b ☐ dürfen kein Fleisch essen.
   c ☐ müssen auf ihre Ernährung achten.

4. Tai Chi
   a ☐ können nur Erwachsene machen.
   b ☐ trainiert den Körper und den Kopf.
   c ☐ macht man immer in der Natur.

5 Sportarten

a) **Markieren Sie die Sportarten in den Texten auf Seite 218/219 und in den Aussagen von Isabel und Stefan.**

Ich mache viel Sport. Ich gehe regelmäßig laufen und schwimmen. Ich mache gerne Sport allein. Dann habe ich Zeit zum Nachdenken und Entspannen. Im Urlaub fahre ich Ski oder gehe Bergsteigen. Bergsport ist mein Lieblingshobby! Ballsportarten gefallen mir nicht gut. Ich mag kein Fußball oder Handball. Das finde ich blöd.

Isabel

In der Woche mache ich wenig Sport. Ich muss viel arbeiten und habe wenig Zeit. Aber ich fahre jeden Tag mit dem Fahrrad zu meiner Arbeit. Am Wochenende spiele mit Freunden Tennis oder Fußball. Ich mag Sport in der Gruppe. Tennis ist super, es macht fit und macht viel Spaß. Laufen oder Bodybuilding finde ich langweilig.

Stefan

b) **Welche Sportarten gefallen Isabel und Stefan, welche nicht? Schreiben Sie.**

6 Verrückte Sportarten? **Welcher Kommentar passt zu den Fotos? Ordnen Sie zu.**

 a ☐
 b ☐
 c ☐

1. Ich finde Skifahren gefährlich.
2. Skydiving finde ich super. Das ist spannend.
3. Mir gefällt Kajakfahren im Wildwasser. Ich finde das toll.
4. Ich mag nicht gern Klettern. Bergsport ist zu gefährlich.
5. Tauchen mit Haien gefällt mir überhaupt nicht. Ich finde das furchtbar.

7 Anmeldung in der Zahnarztpraxis

2.43

a) Hören Sie. Was hat der Mann? Schreiben Sie.

....

b) Ergänzen Sie den Dialog.

> Nein, leider nicht. – Guten Tag, ich habe starke Zahnschmerzen. – Hier, bitte. –
> Ja, mein Name ist Marianowicz. Muss ich lange warten? – Gut, mache ich. Danke.

💬 Guten Tag.

👄 ....

💬 Haben Sie einen Termin?

👄 ....

💬 Waren Sie schon einmal bei uns?

👄 ....

💬 Leider ja. Wir haben heute viele Patienten. Ich brauche Ihre Versichertenkarte.

👄 ....

💬 Danke … So, hier ist Ihre Karte. Bitte nehmen Sie im Wartezimmer Platz.

👄 ....

c) Hören Sie noch einmal und kontrollieren Sie.

8 Wortfeld Krankheit

a) Welches Wort passt nicht in die Reihe? Streichen Sie durch.

1. die Tabletten – der Hustensaft – das Wasser – die Medikamente
2. der Zahnarzt – die Halsentzündung – die Grippe – die Ohrenschmerzen
3. der Termin – die Versichertenkarte – die Magenschmerzen – das Wartezimmer
4. der Kinderarzt – die Arzthelferin – die Augenärztin – die Hausärztin
5. der Husten – das Rezept – der Schnupfen – das Fieber

b) Verbinden Sie.

eine Krankheit	1	a	machen
Tabletten	2	b	schreiben
ein Rezept	3	c	haben
jemanden krank	4	d	verschreiben
einen Termin	5	e	nehmen

c) Hören Sie die Wortverbindungen und kontrollieren Sie. Sprechen Sie dann nach.

2.44

9 **Wer sagt was?** Ordnen Sie die Aussagen zu: Arzt (A) oder Patient (P)?

1. ☐ Sie dürfen keinen Alkohol trinken.
2. ☐ Mir geht es nicht gut, ich fühle mich seit Tagen krank.
3. ☐ Ich schreibe Sie krank. Trinken Sie viel Tee und ruhen Sie sich aus!
4. ☐ Sie haben eine Erkältung. Bleiben Sie ein paar Tage zu Hause.
5. ☐ Wann muss ich die Medikamente nehmen?
6. ☐ Ich habe Magenschmerzen.
7. ☐ Gute Besserung!
8. ☐ Ich habe seit drei Tagen Fieber.

10 Bei der Hausärztin

a) **Was fehlt Ihnen? Schreiben Sie.**

1.
....
....
....
....

3.
....
....
....
....

2.
....
....
....
....

4.
....
....
....
....

b) **Welche Tipps sind für welche Person?**

1. ☐ Bleiben Sie im Bett! Sie müssen viel schlafen!
2. ☐ Nehmen Sie den Hustensaft dreimal täglich!
3. ☐ Essen Sie heute nichts!
4. ☐ Nehmen Sie eine Kopfschmerztablette!

11 Textkaraoke. **Hören Sie und sprechen Sie die 👄-Rolle im Dialog.**

2.45

👂 …
👄 Ich habe Kopfschmerzen.
👂 …
👄 Ja, seit zwei Tagen.
👂 …
👄 Aaahhhhhhhh!
👂 …
👄 Wie oft muss ich die Medikamente nehmen?
👂 …
👄 Danke. Auf Wiedersehen!

Dr. Kramer, Hausarzt

12 Gute Besserung! **Was ist richtig? Kreuzen Sie an.**

1. Medikamente kauft man
   a ☐ im Wartezimmer.
   b ☐ in der Apotheke.

2. Termine beim Arzt / bei der Ärztin macht man
   a ☐ in der Apotheke.
   b ☐ bei der Sprechstundenhilfe.

3. Alle Versicherten haben
   a ☐ eine Krankenversichertenkarte.
   b ☐ eine Apothekenkarte.

4. Das Rezept für die Medikamente bekommt man
   a ☐ beim Arzt.
   b ☐ in der Apotheke.

13 Tipps im Internet

a) **Lesen Sie den Text und sammeln Sie Tipps gegen Magenschmerzen.**

Themen | **Fragen** | **Antworten** | **Tipps** | **Bearbeiten**

Omas Tipps bei Magenschmerzen

Was macht man gegen Magenschmerzen?

Simone55:
Meine Oma hat einen super Tipp. Sie trinkt heißen Kamillentee. Den Tee mit Honig trinken und fertig! Das hilft sehr gut.

Kate:
Das ist ein klasse Tipp, danke. Eine Suppe hilft bei mir auch immer super!

Sonnenmarie:
Ich gehe bei Magenschmerzen immer zum Arzt. Der kann am besten helfen!

Michel:
Ich finde, man sollte zu Hause im Bett bleiben! Cola und Salzstangen helfen auch ☺

b) **Schreiben Sie weitere Tipps.**

Medikamente nehmen – kein Fastfood essen – keinen Alkohol trinken – ...

14 Ich habe Halsschmerzen. **Was sagt die Ärztin? Hören Sie und kreuzen Sie an.**
2.46

☐ viel Obst essen
☐ 2 x am Tag vor dem Essen die Tabletten nehmen
☐ morgens nach dem Frühstück die Medikamente nehmen
☐ viel Tee trinken
☐ ein Glas Wein am Tag
☐ nicht rauchen
☐ nicht arbeiten und ausruhen
☐ Gemüse und Suppe essen

15 Probleme und Ratschläge. **Geben Sie Tipps.**

1. Meine Hose passt mir nicht mehr! ....

2. Ich habe Kopfschmerzen. ....

3. Ich bin immer müde. ....

4. Ich bin krank. ....

5. Ich darf nicht mehr Fußball spielen, will aber weiter Sport machen. ....

16 Imperative

a) **Was sagen Sie?**

1. mehr Sport machen (Sie) *Machen Sie bitte mehr Sport!* ....

2. mindestens drei Liter Wasser am Tag trinken (ihr) ....!

3. mehr Obst und Gemüse essen (Sie) ....!

4. jeden Tag spazieren gehen (du) ....!

5. den Hustensaft abends nehmen (ihr) ....!

6. regelmäßig Rückengymnastik machen (Sie) ....!

7. weniger Schokolade essen (du) ....!

8. heute einen Termin beim Arzt machen (ihr) ....!

b) **Markieren Sie die Verben.**

17 Verbote

a) **Was darf man / dürfen Sie hier nicht? Schreiben Sie Sätze.**

> parken – fotografieren – ~~ins Wasser springen~~ – weiterfahren – Fußball spielen – essen und trinken – Ski fahren

1. *Hier dürfen Sie nicht* ....

2. ....

3. ....

4. *Hier darf man nicht ins Wasser springen.* ....

5. ....

6. ....

7. ....

b) **Ergänzen Sie die fehlenden Formen von *dürfen* in der Tabelle.**

	ich	du	er/es/sie	wir	ihr	sie/Sie
dürfen	...	darfst	...	dürfen	...	...

18 Partygespräche

a) **Ergänzen Sie die Personalpronomen im Akkusativ.**

1. 🗨 Siehst du den tollen Typ da drüben?

   👍 Den Blonden? Das ist Peter! Findest du .... gut?

   🗨 Ja, er sieht super aus!

   👍 Ich habe seine Telefonnummer. Ruf .... doch mal an.

2. 🗨 Bist du noch mit Ulla zusammen?

   👍 Nein, ich habe .... schon seit einem halben Jahr nicht mehr getroffen.

3. 🗨 Hallo! Ich glaube, ich habe .... schon einmal gesehen.

   👍 Ja, natürlich! Am Montag haben wir .... in der Galerie getroffen. Wie geht es Ihnen denn?

4. 🗨 Du hast ja ein tolles Kleid an!

   👍 Danke. Ich habe .... letzte Woche gekauft.

5. 🗨 Ihr habt .... im Café am Markt getroffen, du und ein junger Mann. Du liebst .... nicht mehr!

   👍 Natürlich liebe ich .... noch. Er ist mein Kollege. Wir hatten ein Arbeitsessen.

b) **Hören Sie und kontrollieren Sie.**

2.47

19 Lyrisches Sprechen. **Hören Sie und sprechen Sie nach.**

2.48

1. nicht verstehen – mich nicht verstehen –
   Kannst du mich nicht verstehen?
2. dich – brauche dich –
   Ich brauche dich!
3. liebe dich – ich liebe dich –
   Denn ich liebe dich!

4. sehen – ihn sehen – Ich kann ihn sehen.
5. hören – ihn hören – Ich kann ihn hören.
6. verstehen – ihn verstehen –
   Ich kann ihn verstehen.
7. treffen – ihn nicht treffen –
   Aber ich kann ihn nicht treffen.

Fit für A 2? Testen Sie sich!

Mit Sprache handeln

über Krankheiten sprechen

Was fehlt Ihnen denn?

Ich habe Magenschmerzen. ....

....

....

▶ KB 2.3 – 2.5

Empfehlungen geben

Nimm eine Tablette! ....

....

....

▶ KB 3.2

Wortfelder

Körperteile

Hand und ...., Arm und ...., Bauch und .... ▶ KB 1.3

Krankheiten

Tabletten ...., ein Rezept ...., Kopfschmerzen ....,

einen Termin ...., jemanden krank .... ▶ KB 2.3 – 2.5

Grammatik

Imperativ

zum Arzt gehen (du) ....

im Bett bleiben (Sie) ....

mehr Sport treiben (ihr) ....

viel Obst essen (du) .... ▶ KB 3.3

Modalverb *dürfen*

Saskia und ihr Bruder .... bis um 24 Uhr auf die Party gehen.

Thomas .... nicht mehr Laufen gehen.

Maria .... keine Milch trinken. ▶ KB 2.5

Personalpronomen im Akkusativ

Da ist mein neuer Nachbar. Hast du .... schon gesehen? Ja, ich kenne ....

Wir haben .... beim Sport kennengelernt. ▶ KB 4.2

Station 4

1 Berufsbilder

1 Beruf Koch/Köchin.
Sehen Sie die Fotos an.
Was machen Köchinnen und Köche?
Sammeln Sie.

Koch/Köchin

2 Steckbrief Koch/Köchin

a) Welche Aufgaben haben Köche und Köchinnen? Lesen Sie und unterstreichen Sie im Text. Vergleichen Sie mit Ihren Ideen in 1.

Koch/Köchin
Berufe aktuell

■ Köche und Köchinnen machen Menü-Pläne und bestellen Lebensmittel. Sie organisieren die Arbeit in der Küche und kontrollieren die Lebensmittel. In kleinen Küchen kochen, braten und backen Köche und Köchinnen alle Gerichte selbst. In Großküchen sind sie oft spezialisiert, z.B. für Suppen, Salate, Fisch- oder Fleischgerichte. Sie müssen auch die Preise kalkulieren und manchmal die Gäste beraten.

■ Köche und Köchinnen arbeiten in Restaurants, Hotels, Kantinen, Krankenhäusern, Pflegeheimen, Catering-Firmen und manchmal auch in privaten Haushalten.

■ Köche und Köchinnen müssen oft bei Hitze und Lärm arbeiten. Sie müssen Hygienevorschriften beachten. Sie müssen kreativ sein und sich für Mathematik und Chemie interessieren.

■ Die Ausbildung dauert drei Jahre. Köche und Köchinnen arbeiten in Restaurants oft auch am Wochenende und an den Feiertagen. Sie verdienen ca. 1500 Euro im Monat, in großen Hotels oder guten Restaurants manchmal auch viel mehr.

35

b) Was steht wo im Steckbrief? Ordnen Sie die Überschriften zu.

Wie sind die Arbeitszeiten und was verdient man? – Wo arbeitet man? – Was macht man in diesem Beruf? – Was muss man auch noch wissen?

3 Fragen und Antworten üben. **Sammeln Sie Fragen im Kurs und antworten Sie.**

Wo arbeiten Köche und Köchinnen?

Wie viel verdienen sie?

Sie müssen am ...

4 Beruf Gesundheits- und Krankenpfleger.
Lesen Sie und sammeln Sie Informationen. Berichten Sie.

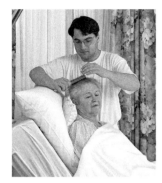  

Roland Sänger, Gesundheits- und Krankenpfleger

Gesundheits- und Krankenpfleger pflegen, versorgen und beraten Patientinnen und Patienten. Wir müssen z. B. die Patienten waschen oder Essen und Medikamente verteilen. Wir helfen den Ärzten auch bei Untersuchungen. Bei Operationen kontrollieren wir medizinische Apparate und Instrumente. Meistens arbeiten wir in Krankenhäusern, aber auch in ambulanten Stationen, dann pflegen wir die Patienten zu Hause. Meine Ausbildung hat drei Jahre gedauert. Im Moment arbeite ich im Schichtbetrieb im Krankenhaus. Meine Arbeit beginnt mal um sechs Uhr morgens, mal um zwei Uhr mittags oder um zehn Uhr abends.

Aufgaben	Arbeitszeiten	Arbeitsorte
Patienten pflegen		

5 Dialoge im Beruf

> Gesundheits- und Krankenpfleger arbeiten in Krankenhäusern.

a) Wer sagt was? Ordnen Sie die Dialoge.

~~Was kann ich für Sie tun?~~ – Kein Fieber? Wir messen aber noch einmal vor dem Frühstück. – Wie viel kostet der Flug? – 278 Euro, inklusive Steuern. – Guten Morgen, Frau Otto. Wie geht es Ihnen? – Ich muss am 27. September in Istanbul sein. – Wann gibt es Frühstück? – Um 14.10 Uhr. – In zwei Minuten, danach nehmen Sie bitte die Tabletten, o. k.? – Also, es gibt einen Flug am 27.09. um 11.35 Uhr. – Danke, besser. Ich habe kein Fieber. – Wann bin ich dann in Istanbul? – Gut, aber geben Sie mir bitte noch ein Glas Wasser. – Ja, der ist gut, den nehme ich.

Im Reisebüro	Im Krankenhaus
Was kann ich für Sie tun?	Guten Morgen, Frau Otto. Wie

b) Hören Sie und kontrollieren Sie.

2.29

c) Üben Sie die Dialoge.

2 Wörter – Spiele – Training

1 Vier Jahreszeiten – was ziehen Sie an?

a) Welche Jahreszeit passt? Ordnen Sie zu.

der Frühling ☐   der Herbst ☐

der Sommer ☐   der Winter ☐

1. Morgen bleibt es sonnig und trocken. Die Temperaturen steigen auf 28 Grad.
2. Am Sonntag bringen dichte Wolken leichten Schneefall. Die Temperaturen bleiben weiter unter null.
3. Am Dienstag liegen die Höchsttemperaturen meist nur bei 11 bis 13 Grad, starker Wind aus Nord-Ost.
4. Morgens noch Nebel, dann ein Mix aus Sonne und Wolken bei 17 bis 19 Grad, am Donnerstag 20 Grad.

b) Kombinieren Sie Kleidungsstücke mit den Jahreszeiten.

Im Winter ziehe ich eine Winterjacke und … an.

Im Sommer trage ich Jeans mit …

Minimemo

Winterkleidung
der Schal, die Mütze, die Handschuhe, die Stiefel, der Wintermantel, die Winterjacke

2 Ein Job im „Burger-House" oder lieber im Hotel „Grüner Baum"?

a) Wählen Sie eine Anzeige und sammeln Sie Informationen.

	Arbeitsort	Arbeitszeit	Bezahlung	Voraussetzungen/ Anforderungen
Anzeige 1	Augsburg			
Anzeige 2				

American Burger & Pizza House

sucht in Augsburg **eine/n Pizzafahrer/in** für ca. 15 Stunden pro Woche.

Arbeitszeiten: Schichten mittags, nachmittags und abends; 5,70 Euro/Stunde + Trinkgeld.

Anforderungen: Flexibilität – Führerschein und PKW – gute Deutschkenntnisse.

Bitte bewerben Sie sich telefonisch bei Herrn Kabasakal, **0171 34142938**

Das Hotel „Grüner Baum"

sucht in Bochum **Zimmermädchen/Roomboys.**
Voraussetzungen: keine.
20 Stunden, in drei Schichten mittags, nachmittags, abends, auch am Wochenende.
8,15 Euro/Stunde brutto.
Weitere Informationen bei Frau Wolters **0234 203 410**

b) **Ein Telefongespräch planen. Wählen Sie eine Anzeige in a) und notieren Sie Fragen zum Job. Ihr Problem: Am Vormittag sind Sie immer im Deutschkurs.**

> Ist die Stelle als ... noch frei?
> Von wann bis wann ...?
> Kann ich ... anfangen?
> Wie viele Stunden ...?

c) **Machen Sie einen Termin für ein Vorstellungsgespräch. Die Dialoggrafik hilft. Spielen Sie den Dialog zu zweit.**

Herr Kabasakal / Frau Wolters   **Sie**

Pizza House in ... / Hotel Grüner Baum in ...
Sie sprechen mit ... Was kann ich für Sie tun? →

← Guten Tag, mein Name ist ... / Stelle frei?

Ja, ...   →

← Arbeitszeiten?

Mittags von 12 bis 16 Uhr, ...   →

← Prima, das passt gut.

Führerschein? / Arbeiten am Wochenende?   →

← Ja, ...

Am ... um 9.30 Uhr zu einem Gespräch kommen?   →

← Nein, ...

Um 13.30 Uhr?   →

← Ja, ... Adresse?

Findelgäßchen 14a. / Pestalozzistraße 26.   →

← Vielen Dank. Bis ... um ... Uhr. Auf Wiederhören!

Auf Wiederhören.

---

 3 Aussprache *-e, -en, -el, -er*. **Hören Sie. Lesen Sie dann laut.**

2.30

Ich habe heute keine Sahnetorte.   Am liebsten möchten wir einen Kuchen essen.
Äpfel und Kartoffeln sind Lebensmittel.   Eier esse ich lieber, aber Eier sind teuer.

 4 Aussprache *i, ü, e, ö*

2.31

a) **Hören Sie und sprechen Sie nach.**

vier – für   der Vogel – die Vögel
lesen – lösen   drücken – drucken

b) **Lesen Sie laut.**

vier – für – ich fuhr   das Tier – die Tür – die Tour   Kiel – kühl – cool

3 Filmstation

 1 Beim Gemüsehändler

21

a) Sehen Sie den Film an und lesen Sie die Geschichte. Zwei Informationen sind falsch. Markieren Sie.

Der Vater von Erkan hat einen Gemüseladen in Berlin. Erkan besucht seinen Vater. Der Vater freut sich. Erkan sagt, er bekommt Besuch. Ein Freund will ihn besuchen. Erkan kocht gern. Er will für seinen Freund kochen. Der Vater fragt: „Brauchst du etwas?" Er gibt Erkan Gemüse: Tomaten, Paprika, eine Zucchini, Eisbergsalat und eine Ananas. Erkan muss nichts zahlen.

Was kostet ein Kilo Pfirsiche?

b) Was kann man fragen? Sehen Sie die Fotos an und schreiben Sie Fragen.

1. 💬 *Was* .... 🗨 Das Kilo kostet 1,99 €.

2. 💬 .... 🗨 Das Kilo 2,49 €.

3. 💬 .... 🗨 Die Birnen kommen aus Italien.

4. 💬 *Haben Sie* .... 🗨 Ja, oben rechts, ganz frisch aus Costa Rica.

5. 💬 .... 🗨 Die kommen aus der Türkei.
   Ganz billig, nur 0,99 € das Kilo.

c) Sätze aus dem Film. Sehen Sie den Film noch einmal und ergänzen Sie.

1. Entschuldigung, ich hätte gern ....

2. Was kostet der Paprika? – ....

3. Und dann bitte noch ....

4. Bitte ....

2 Frühstück in Deutschland

8

a) **Was Leute essen und trinken. Machen Sie ein Bildlexikon.**

....

das...................... .... *die*...................... ....

b) **Genau beobachten: Was ist richtig? Kreuzen Sie an.**

1. ☐ Lukas isst ein Käsebrötchen.   ☐ Lukas isst ein Schinkenbrötchen.
2. ☐ Janine schenkt Lukas Kaffee ein.   ☐ Lukas schenkt Janine Kaffee ein.
3. ☐ Die Milch steht auf dem Tisch.   ☐ Die Milch ist in der Tasse.
4. ☐ Lukas möchte noch ein Brötchen.   ☐ Lukas möchte kein Brötchen mehr.
5. ☐ Lukas telefoniert. Seine Mutter ruft an.   ☐ Lukas ruft seine Mutter an.

c) **Was sagt man oft beim Frühstück? Ergänzen Sie die Redemittel.**

💬 Möchtest du noch ....? 👍 ....

💬 Heute sind die Brötchen .... 👍 Findest du?

💬 Haben wir noch ....? 👍 Ja, im Kühlschrank.

💬 Es ist schon halb neun! 👍 Halb neun? Ja, du hast recht, wir ....

💬 Beeil dich, wir .... 👍 Ich komme schon!

4 Magazin

Was essen die Deutschen?

In einem Jahr isst und trinkt
eine Deutsche / ein Deutscher ca. ...

24,4 l

101 l

89,5 kg

5,4 kg

15,5 kg

93,5 kg

65,6 kg

56,6 kg

22,9 kg

5,8 kg

214 Stk.

(Quelle: Statistisches Bundesamt, Statistisches Jahrbuch 2012)

Brötchen, Semmel oder Weckerl?

Viele Lebensmittel haben in Deutschland, Österreich und in der Schweiz unterschiedliche Namen.

Deutschland	Österreich	Schweiz
Kartoffel	Erdapfel	Haerdoepfel
Aprikose	Marille	Barelle
Hähnchen	Hendl	Poulet
Brötchen	Semmel	Weggli
Käsekuchen	Topfenkuchen	Quarkkuchen
Hackfleisch	Faschiertes	Ghackets

⁙⁾🔊 Deutschland

2.32

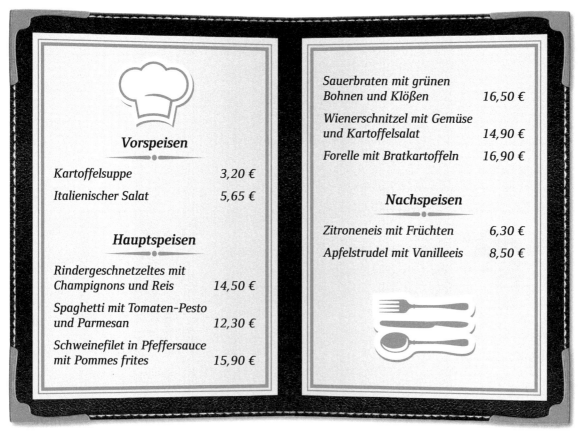

Vorspeisen

Kartoffelsuppe	3,20 €
Italienischer Salat	5,65 €

Hauptspeisen

Rindergeschnetzeltes mit Champignons und Reis	14,50 €
Spaghetti mit Tomaten-Pesto und Parmesan	12,30 €
Schweinefilet in Pfeffersauce mit Pommes frites	15,90 €

Sauerbraten mit grünen Bohnen und Klößen	16,50 €
Wienerschnitzel mit Gemüse und Kartoffelsalat	14,90 €
Forelle mit Bratkartoffeln	16,90 €

Nachspeisen

Zitroneneis mit Früchten	6,30 €
Apfelstrudel mit Vanilleeis	8,50 €

Österreich

Basilikum-Eiernockerl mit Salat	11,50
Kümmelbraten mit Kraut und Knödel	14,90
Faschierter Braten mit Erdäpfelsalat	13,20
Toskana Schnitzel mit Pürree	15,50
Schafkäsetascherl mit Spinat	11,50
Salzburger Würstel	9,80

Schweiz

Vorspiisä

Morchelcrèmesuppe	Fr. 15,-
Thonsalat garniert	Fr. 16,-
Salatteller mit Pouletbruststreifen	Fr. 18,-

Hauptspiisä

Bauernbratwurst mit Zwiebelsauce und knuspriger Rösti	Fr. 19,-
Schweinssteak mit Rahmsauce, Nudeln und Früchte	Fr. 30,-
Kalbspätzli mit Mischsalat	Fr. 31,-
Eglifilets nach Art des Hauses, Haerdoepfel und Tartarsauce	Fr. 32,-

Süessi Tröimli

Glace: Vanille, Erdbeer, Schokolade	Fr. 8,-

Grüezi mitenand!

5 Endspurt: Eine Rallye durch studio [21]

Dieses Spiel führt Sie durch den ersten Band.
Wer ist zuerst am Ziel?

Spielregeln

Sie brauchen:
zwei bis vier Spieler, einen Würfel, eine Münze pro Spieler.

Was Sie tun:
richtige Antwort = zwei Kästchen weiter
falsche Antwort = zwei Kästchen zurück

 Wörter-Joker =
pro richtige Antwort
ein Feld weiter

Sie haben zehn Sekunden Zeit
pro Antwort.

Start

1
Was haben Sie
gestern gemacht
Nennen Sie
drei Dinge.

11
Bilden Sie einen Satz.
seinen Sohn
um 17 Uhr
Peter Löscher
abholen
vom Kindergarten

10
**Fragen Sie
einen Spielpartner
nach seinem
Traumberuf.**

9
**Ergänzen Sie
den Dialog.**
💬 Guten Tag,
ich hätte gerne ...
🛒 Darf es sonst ...?
💬 Haben Sie auch ...?

8
**Wortfeld Stadt
Nennen Sie vie
Nomen.**

12
**Welche Körperteile
haben wir nur
einmal?**

13
Wie spät ist es?

14
**Wortfeld Wohnung:
Nennen Sie fünf
Zimmer.**

15
**Sie suchen eine Ba
Fragen Sie.**

Ziel

24
Welche Frage passt?

Antwort:
„Im dritten Stock links,
Zimmer 321."

23
**Wann sind Sie
geboren?**

22
**Buchstabieren Sie
den Vornamen Ihrer
Spielpartnerin / Ihres
Spielpartners.**

2
**Wie
heißt der Plural?**

der Stuhl
das Radio
der Mann
die Straße

3
**Wie heißen die
Artikel?**

Postkarte
Autobahn
Kalender
Toilettenpapier

4
**Nennen Sie fünf
Sehenswürdigkeiten
in Berlin.**

21
**Nennen Sie
vier Berufe.**

7
**Was ist
das Gegenteil?**

lang
teuer
alt
spät
dunkel

6
**Fragen Sie nach
der Uhrzeit.**

5
**Langer oder
kurzer Vokal?
Sprechen Sie laut.**

Nudeln
Saft
Tasche
wohnen
viel

20
**Sie kommen zu spät.
Was sagen Sie?**

16
**Wie heißt das
Partizip II?**

gehen
arbeiten
hören
aufstehen

17
**Sie haben eine Grippe.
Was sagen Sie
dem Arzt?**

18
Wo sind ...?

der Eiffelturm
das Kolosseum
das Brandenburger Tor

19
**Länder/Sprachen.
Ergänzen Sie.**

Italien/...
.../Polnisch
.../Chinesisch
die Türkei/...

Modelltest Start Deutsch 1

Hören

Dieser Test hat drei Teile.
Sie hören kurze Gespräche und Ansagen. Zu jedem Text gibt es
eine Aufgabe. Lesen Sie zuerst die Aufgabe, hören Sie dann
den Text dazu. Kreuzen Sie die richtige Lösung an.

1 **Was ist richtig? Kreuzen Sie an: a, b oder c. Sie hören jeden Text zweimal.**

2.33

1. Wann kommt Herr Hübner?

a ☐ Gegen 10.30 Uhr.   b ☐ Gegen 11.30 Uhr.   c ☐ Gegen 11.15 Uhr.

2. Welche Zimmernummer hat Frau Dr. Kunz?

a ☐ 244.   b ☐ 224.   c ☐ 242.

3. Wie kommt der Mann zur Oper?

a ☐ An der Kreuzung nach
links.   b ☐ An der Kreuzung nach
rechts.   c ☐ Geradeaus bis zur
Kreuzung.

4. Wo war Herr Düllmann im Urlaub?

a ☐ In den Bergen.   b ☐ Am Meer.   c ☐ Auf der Insel Sylt.

5. Herr Kaminski hat ...

a ☐ Kopfschmerzen.   b ☐ Bauchschmerzen.   c ☐ Halsschmerzen.

6. Was wollen die Frau und der Mann Nina schenken?

a ☐ Ein Kleid.　　　b ☐ Einen Mantel.　　　c ☐ Einen Pullover.

2 Was ist richtig? Kreuzen Sie an: richtig oder falsch. Sie hören jeden Text einmal.

	richtig	falsch
7. Auf der linken Seite ist die Humboldt-Universität.	☐	☐
8. Die Erdbeeren kosten 1,99 Euro.	☐	☐
9. Im Herbst soll man Vitamin C nehmen.	☐	☐
10. Die Vorwahl von Japan ist 0088.	☐	☐

3 Was ist richtig? Kreuzen Sie an: a, b oder c. Sie hören jeden Text zweimal.

11. Wohin fährt
    der Mann?
    a ☐ Nach Hause.
    b ☐ Ins Büro.
    c ☐ Nach Köln.

12. Wann kann man Dr. Mocker
    am Dienstag erreichen?
    a ☐ Von 11 bis 19 Uhr.
    b ☐ Von 8 bis 13 Uhr.
    c ☐ Von 8 bis 12 Uhr.

13. Wann will die Frau
    einen Termin haben?
    a ☐ Am Samstag.
    b ☐ Am Donnerstag.
    c ☐ Am Dienstag.

14. Wie war das Wetter
    im Norden?
    a ☐ Bewölkt.
    b ☐ Sonnig.
    c ☐ Heiß.

15. Was kosten
    die T-Shirts?
    a ☐ 29,95 Euro.
    b ☐ 9,95 Euro.
    c ☐ 19,95 Euro.

Lesen

Dieser Test hat drei Teile.
Sie lesen kurze Briefe, Anzeigen etc. Zu jedem Text gibt es Aufgaben.
Kreuzen Sie die richtige Lösung an.

25'

1 Lesen Sie die Texte und Aufgaben. Was ist richtig? Kreuzen Sie an: richtig oder falsch.

Lieber Peter, der Zug hat Verspätung. Bin erst um drei in Köln. Gehen wir heute Abend essen? Ruf an. Zwischen fünf und sechs bin ich aber bei Natascha.
LG Silke

	richtig	falsch
1. Silke kommt um 15 Uhr an.	☐	☐
2. Peter soll sie zwischen 17 und 18 Uhr anrufen.	☐	☐

Liebe Pia, lieber Holger,

den Umzug haben wir endlich hinter uns. Es war ziemlich anstrengend. Michael hat noch immer Rückenschmerzen. Wir hatten mehr als 75 Umzugskartons! Unsere Wohnung ist jetzt in der 3. Etage und hat 92 m². Die Zimmer sind sehr hell. Wir haben jetzt auch ein großes Arbeitszimmer mit viel Platz für unsere Bücher. Leider haben wir keinen Balkon und die Küche hat nur 7,5 m². Kommt doch mal zum Essen! Habt ihr am Samstagabend Zeit? Dann könnt ihr euch die Wohnung ansehen.

Viele Grüße
Karin + Michael

	richtig	falsch
3. Pia und Holger sind umgezogen.	☐	☐
4. Das Wohnzimmer ist leider nicht so hell.	☐	☐
5. Der Balkon ist nur klein.	☐	☐

2 **Lesen Sie die Texte und Aufgaben. Wo finden Sie Informationen? Kreuzen Sie an: a oder b.**

6. Sie möchten Polnisch lernen. Wo finden Sie Informationen?

www.bildung-brandenburg.de

➤ Partnerregionen in Polen
➤ Deutsch-polnische Schulprojekte
➤ Polnisch-Unterricht

www.ratgeber-polen.de

◆ Kommunikation
◆ Reiseinfos
◆ Medien

a) ☐ www.bildung-brandenburg.de

b) ☐ www.ratgeber-polen.de

7. Sie suchen einen neuen Kleiderschrank. Wo finden Sie Informationen?

www.2-c.de

Die Wohnwelt. Ihr Partner für Möbel.
Weitere Informationen über:
Schlafzimmer   –   Wohnzimmer
Arbeitszimmer   –   Kinderzimmer

www.arcom.de

Badezimmer-Möbelprogramm
Auf den folgenden Seiten stellen wir Ihnen das Angebot an Badmöbeln vor.

a) ☐ www.2-c.de

b) ☐ www.arcom.de

8. Sie möchten in Österreich auf der Donau eine Schiffsreise machen. Wo bekommen Sie Informationen?

www.austria.at

Unsere aktuellen Themen:
■ Winterurlaub ■ Weihnachtsurlaub
■ Ferienwohnungen und Hotels

www.donaukurier.at

Seit Generationen fasziniert die Donau. In unseren modernen Schiffen kann man den Fluss jeden Tag neu erleben.

a) ☐ www.austria.at

b) ☐ www.donaukurier.at

9. Sie möchten im Schwarzwald arbeiten. Wo finden Sie Informationen?

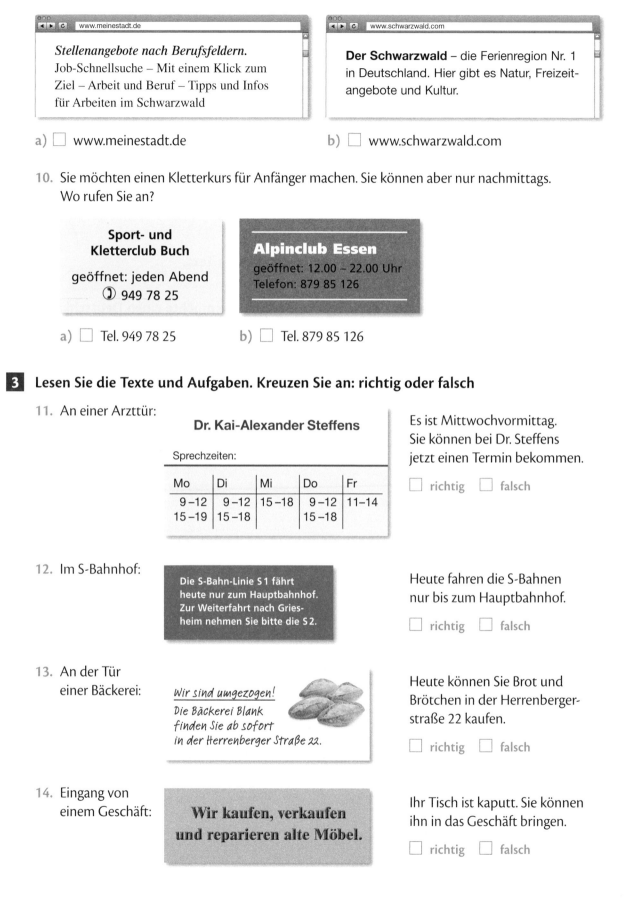

www.meinestadt.de
Stellenangebote nach Berufsfeldern. Job-Schnellsuche – Mit einem Klick zum Ziel – Arbeit und Beruf – Tipps und Infos für Arbeiten im Schwarzwald

www.schwarzwald.com
Der Schwarzwald – die Ferienregion Nr. 1 in Deutschland. Hier gibt es Natur, Freizeitangebote und Kultur.

a) ☐ www.meinestadt.de

b) ☐ www.schwarzwald.com

10. Sie möchten einen Kletterkurs für Anfänger machen. Sie können aber nur nachmittags. Wo rufen Sie an?

Sport- und Kletterclub Buch

geöffnet: jeden Abend
☎ 949 78 25

Alpinclub Essen
geöffnet: 12.00 – 22.00 Uhr
Telefon: 879 85 126

a) ☐ Tel. 949 78 25

b) ☐ Tel. 879 85 126

3 Lesen Sie die Texte und Aufgaben. Kreuzen Sie an: richtig oder falsch

11. An einer Arzttür:

Dr. Kai-Alexander Steffens

Sprechzeiten:

Mo	Di	Mi	Do	Fr
9 –12	9 –12	15 –18	9 –12	11–14
15 –19	15 –18		15 –18	

Es ist Mittwochvormittag. Sie können bei Dr. Steffens jetzt einen Termin bekommen.

☐ richtig ☐ falsch

12. Im S-Bahnhof:

Die S-Bahn-Linie S 1 fährt heute nur zum Hauptbahnhof. Zur Weiterfahrt nach Griesheim nehmen Sie bitte die S 2.

Heute fahren die S-Bahnen nur bis zum Hauptbahnhof.

☐ richtig ☐ falsch

13. An der Tür einer Bäckerei:

Wir sind umgezogen!
Die Bäckerei Blank finden Sie ab sofort in der Herrenberger Straße 22.

Heute können Sie Brot und Brötchen in der Herrenbergerstraße 22 kaufen.

☐ richtig ☐ falsch

14. Eingang von einem Geschäft:

Wir kaufen, verkaufen und reparieren alte Möbel.

Ihr Tisch ist kaputt. Sie können ihn in das Geschäft bringen.

☐ richtig ☐ falsch

15. In der Sprachschule:

Das Exkursionsprogramm für den Kurs Deutsch II am 8.10.

7.57 Uhr	Abfahrt Hauptbahnhof Tübingen
9.53 Uhr	Ankunft Hauptbahnhof Heidelberg
10.00 – 14.00 Uhr	Stadtbesichtigung (Universität, Heidelberger Schloss usw.)
15.00 – 19.00 Uhr	frei (Stadtbummel, Einkaufen in der Hauptstraße)

Die Teilnehmer können mittags einkaufen gehen.

☐ richtig ☐ falsch

Schreiben

Dieser Test hat zwei Teile.
Sie füllen ein Formular aus und schreiben einen kurzen Text.

20'

1 **Ihre Freundin, Jitka Staňková, spricht kein Deutsch. Sie möchte einen Deutschkurs an der Volkshochschule machen (Stufe A1.1). Sie wohnt jetzt in Hannover, in der Lutherstraße 63. Die Postleitzahl ist 30171. Im Kursprogramm finden Sie einen Kurs für sie. In dem Anmeldeformular fehlen fünf Informationen. Helfen Sie Ihrer Freundin und schreiben Sie die fünf fehlenden Informationen in das Formular.**

VHS-Programm

Deutsch – Stufe A1.1

Kursnummer: 4017–40
Mo, Di, Do, Fr 09.00–12.00 Uhr
€ 192,-

Anmeldeformular

Familienname, Vorname	*Staňková,*
Straße, Hausnummer	*Lutherstr.*
PLZ, Wohnort	*Hannover*
Telefon	*0511/818384*
Kurs, Kursnummer	

2 **Sie sind krank. Sie können nicht nach Frankfurt zu einem Termin mit Herrn Bauer kommen. Schreiben Sie Herrn Bauer:**

– Entschuldigung.   – Vorschlag: neuer Termin.

Lieber Herr Bauer,

....

....

....

Mit freundlichen Grüßen

....

Sprechen

Dieser Test hat drei Teile.
Sprechen Sie bitte in der Gruppe.

15'

1 **Sich vorstellen.**

Name? – Alter? – Land? – Wohnort? – Sprachen? – Beruf? – Freizeit?

2 **Um Informationen bitten und Informationen geben.**

Einkaufen	Einkaufen	Einkaufen
Mantel	1 kg Bananen	Größe

Einkaufen	Einkaufen	Einkaufen
Kasse	Preis	Esstisch

Freizeit	Freizeit	Freizeit
Wochenende	wandern	Fahrkarten

Freizeit	Freizeit	Freizeit
Kino	telefonieren	schwimmen

3 Bitten formulieren und darauf reagieren.

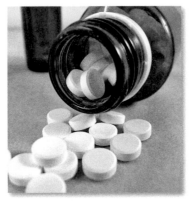

Grammatik auf einen Blick

Grammatik

Sätze

1 W-Fragen
E 3, 5

	Position 2		
Woher	kommen	Sie?	Aus Italien.
Was	trinken	Sie?	Kaffee, bitte.
Wie	heißt	du?	Claudio.
Wie viel Uhr	ist	es?	Halb zwei.
Wann	kommst	du?	Um drei.
Wer	spricht	Russisch?	Ich.

Woher kommen Sie?

2 Satzfragen
E 3

	Position 2	
Kommen	Sie	aus Italien?
Trinken	Sie	Kaffee?
Warst	du	schon mal in München?
Können	Sie	das bitte wiederholen?

Kommen Sie aus Italien?

3 Aussagesatz
E 3

	Position 2	
Ich	spreche	Portugiesisch.
Hildesheim	liegt	südlich von Hannover.
Marion	ist	Deutschlehrerin.

Hannover · Aller · Braunschweig · Weser · Hildesheim · Leine

4 Der Satzrahmen
E 5

		Position 2		Satzende
Aussagesatz	Ich	rufe	dich am Samstag	an.
	Ich	stehe	am Sonntag um elf	auf.
	Ich	gehe	um zehn	schlafen.
	Ich	kann	auf Deutsch	buchstabieren.
W-Frage	Wann	stehst	du am Sonntag	auf?
	Wann	gehst	du	schlafen?
	Was	möchten	Sie	trinken?
Satzfrage	Rufst	du	mich am Samstag	an?
	Können	Sie	das bitte	buchstabieren?

5 Zeitangaben im Satz

E 5

	Position 2	
💬 Wir	**gehen**	**am Sonntag** ins Kino. Kommst du mit?
🗨 **Am Sonntag**	**kommt**	meine Mutter. Das geht nicht.
💬 Gehen	**wir**	**am Samstag** ins Museum?
🗨 Ja, **am Samstag**	**geht**	es.

6 Adjektive im Satz nach Nomen

E 4

Meine Wohnung ist **klein**.

Ich finde meine Wohnung **schön**.

7 *Es* im Satz

Es ist 4 Uhr.

Wie spät ist es?

Wie geht's?

Danke, es geht.

8 Wörter verbinden Sätze

E 2   **1   Pronomen**

Das ist <u>Frau Schiller</u>. **Sie** ist Deutschlehrerin.

2   Artikel

💬 Wo ist mein <u>Deutschbuch</u>?   🗨 **Das** ist dort drüben!

💬 Kennst du <u>Frau Schiller</u>?   🗨 Ja, **die** kenne ich, sie ist Deutschlehrerin.

👍 dort = Ort

E 3   **3   *dort* und *da***

💬 Warst du schon mal <u>in Meran</u>?   **Dort** spricht man Italienisch und Deutsch.

💬 Gehen wir <u>am Montag</u> ins Kino?   🗨 Tut mir leid, **da** kann ich nicht.   Zeit

💬 Warst du schon mal <u>in Meran</u>?   🗨 Nein, **da** war ich noch nicht.   Ort

E 2, 5   **4   *das***

💬 <u>Cola, Wasser, Cappuccino ...</u> **Das** macht 8,90 Euro.

💬 Das ist <u>Sauerkraut</u>.   🗨 **Das** verstehe ich nicht. Können Sie **das** wiederholen?

💬 Kommst du <u>am Freitag</u>?   🗨 Freitag? Ja, **das** geht.

Wörter

9 Nomen mit Artikel

E2 **1 Bestimmter Artikel: *der, das, die***

der Computer   **das** Haus   **die** Tasche

maskulin   neutrum   feminin

Au|to, das; -s, -s ⟨griech.⟩ (*kurz*

Pilot(in *f*) *m* -en, -en pilot.
Pil̲o̲t-: ∼anlage *f* pilot plant; ∼ballon *m* pilot balloon; ∼film *m* pilot film; ∼projekt *nt* pilot scheme; ∼studie *f* pilot study.

E2 **2 Unbestimmter Artikel: *ein, eine***

ein Computer   **ein** Haus   **eine** Tasche

maskulin   neutrum   feminin

E2 **3 Verneinung: *kein, keine***

Das ist ein Computer.   Das ist **kein** Computer, das ist ein Monitor.

Singular			Plural	
der Computer	das Haus	die Tasche	die	Computer, Häuser, Taschen
ein Computer	ein Haus	eine Tasche	–	Computer, Häuser, Taschen
kein Computer	kein Haus	keine Tasche	keine	Computer, Häuser, Taschen

E4 **4 Bestimmter, unbestimmter Artikel und Verneinung im Akkusativ**

	Nominativ		Akkusativ	
Das ist	der/(k)ein Flur. das/(k)ein Bad. die/(k)eine Toilette.	Ich finde	**den** Flur das Bad die Toilette	zu klein.
		Ich habe	**(k)einen** Flur. (k)ein Bad. (k)eine Toilette.	

5 Possessivartikel im Nominativ

Das ist mein Computer!

Personalpronomen	Singular		Plural
	der Balkon / das Bad	die Wohnung	die Balkone/Bäder/ Wohnungen
ich	mein		meine
du	dein		deine
er/es/sie	sein/sein/ihr		seine/seine/ihre
wir	unser		unsere
ihr	euer		eure
sie/Sie	ihr/Ihr		ihre/Ihre

10 Nomen im Plural

E 2

–	-s	-n	-e
der Computer die Computer	das Foto die Fotos	die Tafel die Tafeln	der Kurs die Kurse
der Lehrer die Lehrer	das Handy die Handys	die Regel die Regeln	das Heft die Hefte
der Beamer die Beamer	der Kuli die Kulis	die Lampe die Lampen	der Tisch die Tische

-(n)en	-(ä/ö/ü)-e	-(ä/ö/ü)-er
die Zahl die Zahlen	der Stuhl die Stühle	das Haus die Häuser
die Lehrerin die Lehrerinnen	die Stadt die Städte	das Buch die Bücher
die Tür die Türen	der Ton die Töne	das Wort die Wörter

 Lerntipp
Nomen zusammen mit
Pluralformen lernen:
die Tür – die Türen
das Buch – die Bücher

Regel Der bestimmte Artikel im Plural ist immer **die**.

11 Wortbildung: Komposita

E 2

| | Bestimmungswort | Grundwort | |
| | ↓ | ↓ | |

das Büro   **der** Büro - stuhl   **der** Stuhl
der Flur   **die** Büro - lampe   **die** Lampe
             die Flur - lampe

Regel   Der Artikel von Komposita ist der Artikel des Grundwortes.
Das Grundwort steht am Ende.

12 Präpositionen: *am, um, bis, von ... bis* + Zeit

E 5

| am | **Am** Montag gehe ich in den Kurs. | | Zeitpunkt | **am** + Tag |
| um | Der Kurs beginnt **um** neun Uhr. | | ↓ | **um** + Uhrzeit |

von ... bis	Der Kurs dauert	**von** 19 **bis** 21 Uhr.	Zeitraum
bis		**von** Montag **bis** Freitag.	←———→
		bis Sonntag.	

13 Präpositionen: *in, neben, unter, auf, vor, hinter, an, zwischen, bei* + Ort (Dativ)

E 6

💬 Wo ist mein Autoschlüssel?
👉 Der Autoschlüssel ...

... hängt an der Wand.   ... liegt auf der Kommode.   ... liegt unter der Zeitung.   ... liegt im Regal neben den Büchern.

		Singular		
		der Schreibtisch	das Regal	die Kommode
Der Schlüssel ist	in neben unter auf vor hinter	**dem** Schreibtisch	**dem** Regal	**der** Kommode.
Der Schlüssel hängt	an			**der** Wand.
		Plural		
Der Stuhl steht	zwischen bei	**den** Schreibtischen / **den** Regalen / **den** Kommoden.		

in dem = **im**
an dem = **am**
bei dem = **beim**

Regel   der/das → **dem**   die → **der**   die (Plural) → **den**

14 Präposition: *mit* + Dativ

E 6

der Bus		**mit dem** Bus	
das Auto	Ich fahre	**mit dem** Auto	zur Arbeit.
die Straßenbahn		**mit der** Straßenbahn	

15 Fragewörter

E 1, 2, 3, 5

wo?	○ **Wo** warst du gestern?	○ In Hamburg.
	○ Aarau? **Wo** liegt denn das?	○ In der Schweiz.
woher?	○ **Woher** kommen Sie?	○ Aus Polen. / Aus der Türkei.
was?	○ **Was** heißt das auf Deutsch?	○ Radiergummi.
	○ **Was** möchten Sie trinken?	○ Kaffee, bitte.
wer?	○ **Wer** ist denn das?	○ Das ist John.
wie?	○ **Wie** heißt du?	○ Ich heiße Ana.
	○ **Wie** viel Uhr ist es?	○ Es ist halb neun.
wann?	○ **Wann** kommst du nach Hause?	○ Um vier.

16 Verben

E 1, E 2

1 Verben: Stamm und Endungen

	kommen	wohnen	heißen	trinken	arbeiten	schreiben	suchen
ich	komme	wohne	heiße	trinke	arbeite	schreibe	suche
du	kommst	wohnst	heißt	trinkst	arbeitest	schreibst	suchst
er/es/sie	kommt	wohnt	heißt	trinkt	arbeitet	schreibt	sucht
wir	kommen	wohnen	heißen	trinken	arbeiten	schreiben	suchen
ihr	kommt	wohnt	heißt	trinkt	arbeitet	schreibt	sucht
sie/Sie	kommen	wohnen	heißen	trinken	arbeiten	schreiben	suchen

E 3, E 5

2 Hilfsverben *sein* und *haben*

		Präsens	Präteritum	Präsens	Präteritum
Singular	ich	bin	war	habe	hatte
	du	bist	warst	hast	hattest
	er/es/sie	ist	war	hat	hatte
Plural	wir	sind	waren	haben	hatten
	ihr	seid	wart	habt	hattet
	sie/Sie	sind	waren	haben	hatten

17 Verben: Verneinung mit *nicht*

E 5

Ich	gehe	am Sonntag	**nicht**	ins Theater.
Ich	kann	heute	**nicht**.	
Am Freitag	kann	ich	**nicht**.	
Das	geht		**nicht**.	
Kommst		du	**nicht**	mit?

Sätze

18 Zeitangaben im Satz

E 7

                     Position 2

♀ Wir	gehen	**am Sonntag** ins Kino. Kommst du mit?
♂ **Am Sonntag**	kommt	meine Mutter. Das geht nicht.
♂ Meine Mutter	kommt	**am Sonntag**. Das geht nicht.

♀ Wann	muss	ich zu Hause	sein?
♂ **Um 19 Uhr**	musst	du zu Hause	sein.
♂ Du	musst	**um 19 Uhr** zu Hause	sein.

19 Angaben im Satz: *wie oft? – jeden Tag, manchmal, nie*

E 11

Ich	kaufe	**jeden Tag**	Milch.
Jeden Tag	kaufe	ich	Milch.

Ich	kaufe	**manchmal**	Fisch.
Manchmal	kaufe	ich	Fisch.

Fleisch kaufe ich **nie**! Ich bin Vegetarier.

20 Der Satzrahmen

E 9 **1 Das Perfekt im Satz**

                                     Position 2   Satzende

Aussage	Wir	(haben)	eine Radtour	(gemacht).
	Wir	(sind)	nach Österreich	(gefahren).
	Im Sommer	(haben)	wir eine Radtour	(gemacht).
	Wir	(sind)	drei Wochen	(geblieben).
Frage	(Habt)	ihr	eine Radtour	(gemacht)?
	(Seid)	ihr	nach Österreich	(gefahren)?
	Wohin	(seid)	ihr	(gefahren)?
	Wie lange	(seid)	ihr	(geblieben)?

E 3, 7,
8, 11

2 Modalverben im Satz: *wollen, müssen, dürfen, können*

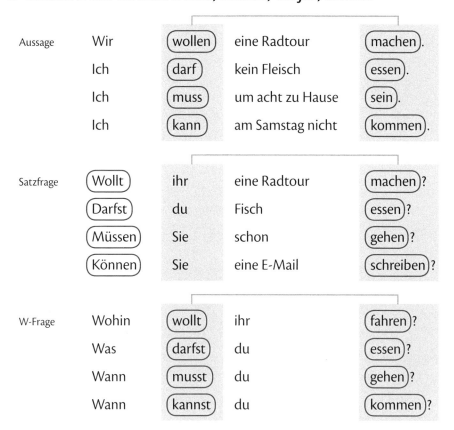

Aussage				
Wir	(wollen)	eine Radtour	(machen).
Ich	(darf)	kein Fleisch	(essen).
Ich	(muss)	um acht zu Hause	(sein).
Ich	(kann)	am Samstag nicht	(kommen).

Satzfrage				
(Wollt)	ihr	eine Radtour	(machen)?
(Darfst)	du	Fisch	(essen)?
(Müssen)	Sie	schon	(gehen)?
(Können)	Sie	eine E-Mail	(schreiben)?

W-Frage				
Wohin	(wollt)	ihr	(fahren)?
Was	(darfst)	du	(essen)?
Wann	(musst)	du	(gehen)?
Wann	(kannst)	du	(kommen)?

21 *Es* im Satz

E 11

Es regnet. (Wetterwörter)
Es ist kalt.

💬 <u>Gehen wir am Samstag aus?</u> ✍ Am Samstag geht **es** nicht.

💬 <u>Wie geht'**s**? (Wie geht **es**?)</u> ✍ Danke, **es** geht.

💬 <u>Wir waren in den Ferien auf Mallorca.</u> ✍ Und wie war **es**?

22 Wörter verbinden Sätze: *zuerst, dann, danach, und*

E 8

Zuerst war sie im Büro. **Dann** hat sie Sport gemacht. **Danach** war sie mit Jan im Kino.
Und dann haben sie noch eine Pizza gegessen.

💬 Wo geht es zum Schlosspark?
✍ **Zuerst** gehen Sie geradeaus bis zur Ampel. **Dann** die erste Straße links,
 danach sehen Sie schon das Schloss. **Und** hinter dem Schloss ist der Park.

Wörter

23 Artikelwörter im Akkusativ: Possessivartikel und *(k)ein-*

E 7

Nominativ			**der**		**das**		**die**
ich		mein		mein		meine	
du		dein		dein		deine	
er/es		sein		sein		seine	
sie	Das ist	ihr	Computer	ihr	Auto	ihre	Uhr.
wir		unser		unser		unsere	
ihr		euer		euer		eure	
sie/Sie		ihr/Ihr		ihr/Ihr		ihre/Ihre	
	Das ist	(k)ein	Computer	(k)ein	Auto	(k)eine	Uhr.

Akkusativ			**den**		**das**		**die**
ich		meinen		mein		meine	
du		deinen		dein		deine	
er/es		seinen		sein		seine	
sie	Ich suche	ihren	Computer	ihr	Auto	ihre	Uhr.
wir		unseren		unser		unsere	
ihr		euren		euer		eure	
sie/Sie		ihren/Ihren		ihr/Ihr		ihre/Ihre	
	Ich habe	(k)einen	Computer	(k)ein	Auto	(k)eine	Uhr.

24 Fragewort: *welch-*, Demonstrativum: *dies-*

E 10, E 11

Singular			**der**		**das**		**die**
Nominativ	Wie ist	dieser	Computer	dieses	Auto	diese	Uhr?
Akkusativ	Ich mag	diesen	Computer	dieses	Auto	diese	Uhr.

Plural				
Nominativ	Wie sind	diese	Computer/Autos/Uhren?	
Akkusativ	Ich suche	diese	Computer/Autos/Uhren.	

		der		**das**		**die**	
Nominativ	Welcher	Apfel	welches	Eis	welche	Banane	schmeckt gut?
Akkusativ	Welchen	Apfel	welches	Eis	welche	Banane	kaufst du?
Plural	Welche	Äpfel/Bananen					kaufst du?

25 Personalpronomen im Akkusativ

E 12

Nominativ	Akkusativ
ich	**mich**
du	**dich**
er/es/sie	**ihn/es/sie**
wir	**uns**
ihr	**euch**
sie/Sie	**sie/Sie**

💬 Kennst du Arnold Schwarzenegger?

🗨 Ja, ich habe **ihn** einmal in Graz getroffen.

💬 Hallo Petra, hast du einen neuen Freund?
Ich habe **euch** gestern in der Stadt gesehen!

26 Wortbildung: Nomen + *-in, -ung*

E 7

1 Nomen + *-in*

der Lehrer **die** Lehrer**in**   der Taxifahrer **die** Taxifahrer**in**

2 Nomen + *-ung*

die Wohn**ung**   (wohnen) | **Regel** | Nomen mit *-ung* = Artikel **die**
die Ordn**ung**   (ordnen)
die Orientier**ung**   (sich orientieren)
die Entschuldig**ung** (sich entschuldigen)

27 Adjektive – Komparation: *viel, gut, gern*

E 10

viel → mehr   → am meisten
gut   → besser → am besten
gern → lieber → am liebsten

28 Adjektive im Akkusativ: unbestimmter Artikel

E 11

        Wer ist das?
den   Sein Mantel ist rot. Er trägt **einen** rot**en** Mantel.
das   Sein Hemd ist weiß. Er trägt ein weiß**es** Hemd.
die   Seine Nase ist groß. Er hat **eine** große Nase.
Plural Seine Schuhe sind schwarz. Er trägt schwarz**e** Schuhe.
        Das ist der Weihnachtsmann!

29 Präpositionen *in, durch, über* + Akkusativ

E 8

Wohin gehen die Touristen?

	Die Touristen gehen	**ins** Museum. (**ins** = **in das**)	**durch** das Tor.	**über** die Brücke.
der		**in den** Zoo.	**durch den** Park.	**über den** Markt.
das	Wir gehen	**ins** Museum.	**durch das** Tor.	**über das** Gelände.
die		**in die** Oper.	**durch die** Stadt.	**über die** Brücke.

30 Präpositionen *zu, an ... vorbei* + Dativ

E 8

	Die Touristen gehen	**zum** Museum. (**zum** = **zu dem**)	**zur** Universität. (**zur** = **zu der**)	**am** Stadttor vorbei. (**am** = **an dem**)
der		**zum** Bahnhof.	**am** Bahnhof vorbei.	
das	Wir gehen	**zum** Stadttor.	**am** Stadttor vorbei.	
die		**zur** Brücke.	**an der** Brücke vorbei.	

31 Modalverben: *müssen, wollen, dürfen, können, möchten, mögen*

E 3, E 7,
E 8, E 11

	müssen	wollen	dürfen	können	möchten	mögen
ich	muss	will	darf	kann	möchte	mag
du	musst	willst	darfst	kannst	möchtest	magst
er/es/sie	muss	will	darf	kann	möchte	mag
wir	müssen	wollen	dürfen	können	möchten	mögen
ihr	müsst	wollt	dürft	könnt	möchtet	mögt
sie/Sie	müssen	wollen	dürfen	können	möchten	mögen

32 Imperativ

E 12

Nimm keine Tabletten! **Geh** zum Arzt! **Kommen Sie** bitte am Montag um neun in die Praxis!
Geht nicht auf Partys!

Präsens	Imperativ du-Form	Präsens	Imperativ ihr-Form	Präsens	Imperativ Sie-Form
du gehst	gehst	ihr geht	geht	Sie gehen	gehen Sie
du nimmst	nimmst	ihr nehmt	nehmt	Sie nehmen	nehmen Sie

33 Perfekt: regelmäßige und unregelmäßige Verben

E 9

1 Partizip der regelmäßigen Verben

Wir **haben** eine Radtour **gemacht**. Wir **haben** Wien **angeschaut**. Wir **haben** Freunde **besucht**.
Wir **sind** in den Bergen **gewandert** und **haben** viel **fotografiert**.

ge...(e)t	...ge...t	...(e)t	...ieren →...t
gemacht	eingekauft	besucht	fotografiert
gespielt	angeschaut	erreicht	probiert
gezeltet	abgeholt	übernachtet	telefoniert

2 Partizip der unregelmäßigen Verben

Der Urlaub **hat begonnen**. Wir **sind** nach Italien **geflogen**. Ich **habe** meine Freundin **angerufen**.
Die Kinder **haben** Postkarten **geschrieben**. Wir **sind** in Rom **gewesen**.

ge...en	...ge...en	...en
geflogen	aufgestanden	verloren
geschrieben	angerufen	geboren
gekommen	weitergefahren	begonnen

Minimemo

Die meisten Verben bilden das Perfekt mit *haben*.
Lernen Sie das Perfekt mit *sein*:
🚲 fahren – ist gefahren, 🏃 laufen – ist gelaufen, ✈ fliegen – ist geflogen,
bleiben – ist geblieben, passieren – ist passiert, sein – ist gewesen

Phonetik auf einen Blick

Die deutschen Vokale

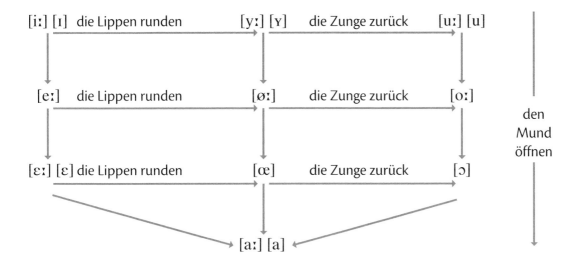

Beispiele für lange und kurze Vokale

[aː – a]   geb<u>a</u>det – gem<u>a</u>cht; [ɛː – ɛ] ger<u>e</u>gnet – gez<u>e</u>ltet; [iː – ɪ] gesp<u>ie</u>lt – bes<u>i</u>chtigt

Ich habe eine R<u>a</u>dtour gem<u>a</u>cht. Du hast dich an der <u>O</u>stsee erh<u>o</u>lt. Er hat am M<u>ee</u>r gez<u>e</u>ltet.
Wir haben <u>U</u>lm bes<u>u</u>cht. Sie haben W<u>ie</u>n bes<u>i</u>chtigt.

Das lange [eː]

[eː]   n<u>e</u>hmen, g<u>e</u>ben, l<u>e</u>ben, w<u>e</u>nig, der T<u>ee</u>, der S<u>ee</u>

Die Endungen -e, -en, -el, -er

Ich habe heute keine Sahnetorte. Am liebsten möchten wir einen Kuchen essen.
Äpfel und Kartoffeln sind Lebensmittel. Eier esse ich lieber, aber Eier sind teuer.

Beispiele für nicht runde und runde Vokale

[iː – yː]   vier – für, spielen – spülen, das Tier – die Tür, Kiel – kühl

[ɪ – ʏ]   die Kiste – die Küste, das Kissen – küssen, die Brillen – brüllen

[eː – øː]   lesen – lösen, der Besen – die Bösen, die Meere – die Möhre

[ɛ – œ]   kennen – können, der Wärter – die Wörter

Beispiele für Umlaut oder nicht Umlaut

[yː – uː]   die Brüder – der Bruder, spülen – spulen

[ʏ – ʊ]   drücken – drucken, nützen – nutzen

[øː – oː]   schön – schon, die Größe – große, die Höhe – hohe

Drei lange Vokale nebeneinander

[iː – yː – uː]   die Ziege – die Züge – im Zuge, das Tier – die Tür – die Tour, vier – für – ich fuhr,
spielen – spülen – spulen

Schreibung und Aussprache [p, b, t, d, k, g]

[p]	kann man schreiben:	*p* wie in *das Papier* *pp* wie in *die Suppe* *b* am Wort- oder Silbenende wie in *halb vier*
[b]	kann man schreiben:	*b* wie in *ein bisschen*
[t]	kann man schreiben:	*t* wie in *die Tasse* *tt* wie in *das Bett* *th* wie in *das Theater* *dt* wie in *die Stadt* *d* am Wort- oder Silbenende wie in *das Geld*
[d]	kann man schreiben:	*d* wie in *das Datum*
[k]	kann man schreiben:	*k* wie in *können* *ck* wie in *der Zucker* *g* am Wort- oder Silbenende wie in *der Tag*
[g]	kann man schreiben:	*g* wie in *gern*

Schreibung und Aussprache [f] und [v]

[f]	kann man schreiben:	*f* wie in *fahren* *ff* wie in *der Löffel* *v* wie in *der Vater* *ph* wie in *die Phonetik*
[v]	kann man schreiben:	*w* wie in *wer* *v* wie in *die Universität*

Schreibung und Aussprache der Nasale [n, ŋ]

[n]	kann man schreiben:	*n* wie in *nein* *nn* wie in *können*
[ŋ]	kann man schreiben:	*ng* wie in *der Junge* *n(k)* wie in *die Bank*

Aussprache des Konsonanten *r*

[r]	muss man sprechen:	[r] wie in *richtig* für *r* am Silbenanfang [ʁ] wie in *der Berg* für *r* am Silbenende (+ Konsonant/en) [ɐ] wie in *besser* für -*er* am Silbenende

Liste der unregelmäßigen Verben

anbraten	*er brät an*	*er hat angebraten*
anfangen	er fängt an	er hat angefangen
anrufen	er ruft an	er hat angerufen
anschreiben	er schreibt an	er hat angeschrieben
ansehen	er sieht an	er hat angesehen
anziehen (sich)	er zieht sich an	er hat sich angezogen
aufstehen	er steht auf	er ist aufgestanden
ausgehen	er geht aus	er ist ausgegangen
backen	er backt/bäckt	er hat gebacken
beginnen	er beginnt	er hat begonnen
bekommen	er bekommt	er hat bekommen
beraten	er berät	er hat beraten
bleiben	er bleibt	er ist geblieben
bringen	er bringt	er hat gebracht
denken	er denkt	er hat gedacht
dürfen	er darf	er durfte (Präteritum)
einreiben	*er reibt ein*	*er hat eingerieben*
entscheiden (sich)	er entscheidet sich	er hat sich entschieden
essen	er isst	er hat gegessen
fahren	er fährt	er ist gefahren
fallen	er fällt	er ist gefallen
fernsehen	er sieht fern	er hat ferngesehen
finden	er findet es	er hat es gefunden
fliegen	er fliegt	er ist geflogen
geben	er gibt	er hat gegeben
gefallen	es gefällt	es hat gefallen
gehen	er geht	er ist gegangen
haben	er hat	er hatte (Präteritum)
hängen	es hängt	es hat gehangen
heben	er hebt	er hat gehoben
heißen	er heißt	er hat geheißen
helfen	er hilft	er hat geholfen
kennen	er kennt	er hat gekannt
kommen	er kommt	er ist gekommen
können	er kann	er konnte (Präteritum)
laufen	er läuft	er ist gelaufen
leidtun	es tut leid	es hat leidgetan
lesen	er liest	er hat gelesen
liegen	es liegt	es hat gelegen
mitkommen	er kommt mit	er ist mitgekommen
mögen	er mag	er mochte
müssen	er muss	er musste (Präteritum)
nehmen	er nimmt	er hat genommen
schlafen	er schläft	er hat geschlafen
schließen	er schließt	er hat geschlossen
schneiden	er schneidet	er hat geschnitten
schreiben	er schreibt	er hat geschrieben
schwimmen	er schwimmt	er ist geschwommen
sehen	er sieht	er hat gesehen
sein	er ist	er war (Präteritum)

singen	er singt	er hat gesungen
sitzen	er sitzt	er hat gesessen
Ski fahren	er fährt Ski	er ist Ski gefahren
spazieren gehen	er geht spazieren	er ist spazieren gegangen
sprechen	er spricht	er hat gesprochen
stattfinden	*es findet statt*	*es hat stattgefunden*
stehen	er steht	er hat gestanden
tragen	er trägt	er hat getragen
treffen	er trifft	er hat getroffen
trinken	er trinkt	er hat getrunken
tun	er tut	er hat getan
verbinden	er verbindet	er hat verbunden
vergehen	es vergeht	es ist vergangen
vergessen	er vergisst	er hat vergessen
vergleichen	er vergleicht	er hat verglichen
verlieren	er verliert	er hat verloren
verschreiben	*er verschreibt*	*er hat verschrieben*
verstehen	er versteht	er hat verstanden
waschen	er wäscht	er hat gewaschen
wehtun	es tut weh	es hat wehgetan
wissen	er weiß	er hat gewusst
wollen	er will	er wollte (Präteritum)
zunehmen	*es nimmt zu*	*es hat zugenommen*
zurückdenken	er denkt zurück	er hat zurückgedacht

Hörtexte

Hier finden Sie alle Hörtexte, die nicht oder nicht komplett in den Einheiten und Übungen abgedruckt sind.

7 Berufe

1 🔊
1. Mein Name ist Sascha Romanov. Ich bin von Beruf Koch und arbeite in einem Restaurant in Köln.
2. Ich bin Dr. Michael Götte. Ich bin Bauingenieur bei Hochtief in Rostock.
3. Ich heiße Sabine Reimann. Ich arbeite als Sekretärin bei einer Versicherung in Basel.
4. Ich heiße Stefan Jankowski. Ich bin Student, aber im Moment mache ich ein Praktikum bei Siemens und schreibe Computerprogramme.
5. Ich bin Jan Hartmann. Ich bin Taxifahrer in Berlin.

Ü 2
1. Hallo, ich heiße Abbas Samet und lebe in Düsseldorf. Ich arbeite schon viele Jahre als Taxifahrer in Dortmund und Bochum. Ich fahre gern Auto.
2. Mein Name ist Anna Zimmermann. Ich bin Floristin von Beruf und arbeite in einem Blumenladen in Stuttgart. Ich lebe mit meiner Familie in Leonberg in der Nähe von Stuttgart.
3. Ich bin Simon Winter. Ich bin Ingenieur. Ich komme aus Deutschland und lebe in Freiburg und Bern. Ich arbeite in Bern bei einer großen Firma.
4. Hi, mein Name ist Frieda Neumann. Ich arbeite als Krankenschwester in einem Krankenhaus in Graz.

Ü 5
b) Hallo, ich heiße Benjamin Herbst. Mein Geburtstag ist der 17.10.1978. Ich lebe in Frankfurt und bin Kfz-Mechatroniker. Ich arbeite im Autohaus Weber, die Adresse ist Hellerhofstraße 5 in Frankfurt am Main. Meine Telefonnummer ist 069/78634 und meine Handynummer ist 0176 748 95 52.

Ü 7
1. + Guten Tag.
   – Guten Tag. Reparieren Sie auch Motorräder? Das Licht ist kaputt.
   + Ja, ja. Bringen Sie das Motorrad in die Werkstatt.
2. + Hallo, sind Sie frei?
   – Ja.
   + In die Zillestr. 9, bitte.
   – Aber gern.
3. + So, wie schneiden wir die Haare?
   – Na ja, ich möchte sie kurz haben.
   + Kurz?! Sie haben aber doch so schöne Haare!
4. + Wie kann ich helfen?
   – Mir geht es nicht gut, ich denke, ich bin krank.
   + Na, dann untersuche ich Sie erst einmal. Machen Sie Aah!
5. + Frau Toberenz, schreiben Sie bitte eine E-Mail an Herrn Wagner. Der Termin mit Herrn Böttger ist am Dienstag um 10 Uhr.
   – Ja, mache ich. Ich rufe auch Frau Späth an. Sie haben morgen mit ihr einen Termin.
   + Oh, ja! Wann denn?
   – Um 14 Uhr.
6. + Der Schrank hier ist schön. Was kostet er?
   – 899 Euro.
   + Hmm, das ist teuer.

Ü 9
b) Guten Tag, mein Name ist Maren Kaiser. Ich komme aus Hamburg, das ist in Norddeutschland. Ich lebe mit meinem Mann und meinen drei Kindern in Halle. Ich bin Programmiererin und arbeite seit sechs Jahren bei Brüder & Hansen. Ich arbeite viel mit Computern und schreibe Programme für Computer. Hier bitte, das ist meine Karte.

Ü 12
a) – Jana, magst du deinen Beruf als Erzieherin in einem Kindergarten?
   + Ja, sehr. Es ist mein Traumberuf.
   – Was magst du an deinem Job?
   + Ich kann jeden Tag mit Kindern arbeiten. Ich muss nicht im Büro am Computer sitzen. Das ist super!
   – Was machst du mit den Kindern?
   + Ich kann gut Gitarre spielen und singen. Also singe ich oft mit den Kindern.
   – Was magst du nicht an deinem Beruf?
   + Ich muss sehr früh aufstehen. Und ich kann nicht viel Geld verdienen.
   – Jana, vielen Dank für das Interview …

8 Berlin sehen

1 🔊
c) Wir fahren auf unserer Route jetzt durch den Tiergarten. Links seht ihr das Schloss Bellevue, das ist der Sitz des Bundespräsidenten. Jetzt links kommt das neue Bundeskanzleramt. Die Berliner nennen das Gebäude „Waschmaschine". Vor uns seht ihr den Reichstag und jetzt rechts das Brandenburger Tor. Dort hinten ist der Potsdamer Platz. Dort ist auch das Sony Center. Wir sind jetzt in der Straße Unter den Linden. Hier sind viele Botschaften. Rechts, das große Haus, das ist die russische Botschaft. Wir fahren jetzt über die Friedrichstrasse. Das ist eine beliebte Einkaufsstraße. Die Staatsoper ist hier rechts. Links kommt die Humboldt-Universität. Und jetzt fahren wir über die Schlossbrücke. Links, das ist der Berliner Dom und dann kommt die Alte Nationalgalerie. Vor uns sehen wir den Fernsehturm auf dem Alexanderplatz.

2 🔊
1. + Entschuldigung, wie kommen wir von hier zum Pergamonmuseum?
   – Das ist ganz leicht. Hier ist das Rote Rathaus. Sie gehen geradeaus bis zur Karl-Liebknecht-Straße, dann nach links am Berliner Dom vorbei. Danach ist es die erste Straße rechts und Sie kommen direkt zum Pergamonmuseum.
   + Vielen Dank!

2. + Entschuldigen Sie, wir suchen die Staatsoper.
   – Das ist nicht weit. Gehen Sie hier an der U-Bahn die Friedrichstraße immer geradeaus bis zur Straße Unter den Linden. Dann biegen Sie nach rechts, gehen geradeaus und finden auf der rechten Seite die Staatsoper. Viel Spaß!
   + Dankeschön!

Ü 6

1. + Entschuldigung. Wo ist das Schloss?
   – Das Schloss? Ah, ja. Gehen Sie die Straße hier links bis zum Schillerplatz. Und dann geradeaus bis zur Galerie. Bei der Galerie biegen Sie wieder links ab. Da ist dann das Schloss.
2. + Entschuldigung. Ich will zum Schloss. Können Sie mir helfen?
   – Ja, das ist einfach! Gehen Sie geradeaus bis zur dritten Kreuzung. Dann gehen Sie links und immer weiter geradeaus. Das Schloss ist das große Gebäude auf der rechten Seite.

Ü 8

+ Entschuldigung, wo geht es zur Deutschen Bank?
– Ja, gehen Sie geradeaus und an der nächsten Kreuzung rechts. Dann die nächste Straße links.
+ Also geradeaus und an der nächsten Kreuzung links?
– Nein, an der nächsten Kreuzung rechts.
+ Ach so, an der nächsten Kreuzung rechts.
– Die Bank ist das große moderne Haus auf der rechten Seite.
+ Vielen Dank. Ist es weit?
– Na ja, etwa fünf Minuten.
+ Danke. Auf Wiedersehen!

Ü 11

b) + Können Sie mir helfen? Wie komme ich zur Humboldt-Universität?
   – Zur Humboldt-Universität? Zuerst gehen Sie hier links.
   + Also zuerst hier links?
   – Genau, und dann gehen Sie bis zur dritten Kreuzung geradeaus.
   + Ok, dann bis zur dritten Kreuzung geradeaus.
   – Ja, genau. Auf der linken Seite sehen Sie dann die Humboldt-Universität.
   + Dann sehe ich auf der linken Seite die Humboldt-Universität?
   – Genau!

Ü 15

c) Paula und Alejandro schlafen lange. Am Mittag gehen Sie in den Zoo. Danach bummeln sie über den Flohmarkt. Anschließend fahren Sie zur Museumsinsel und gehen ins Museum. Am Abend treffen Sie ihre Freunde. Sie laufen zusammen durch den Park und gehen in einem Restaurant essen.

9 Ab in den Urlaub

1 2

a) 1. + Wo warst du im Urlaub?
   – Ich war im Allgäu.
   + Und wie war´s?
   – Es war super und auch das Wetter war gut.

2. + Wo wart ihr in den Ferien?
   – An der Ostsee, auf Rügen. Es war nicht so schön.
   + Warum?
   – Es hat oft geregnet.
3. + Hast du schon Urlaub gemacht?
   – Nein, wir machen erst im August Urlaub.
   + Und was macht ihr?
   – Wir fahren nach Österreich. Wir wollen in den Bergen wandern.
   + Oh, schön!
4. + Warst du im Urlaub?
   – Nein, ich mache dieses Jahr keinen Urlaub.

3 3

gefallen – gespielt – geflogen – passiert – aufgestanden – angerufen – gekommen – verloren – geschrieben – geholfen – gemacht – weitergefahren

3 6

a) 1. Ich bin Kerstin Biechele. Ich war auf der Insel Sylt. Ich habe Freunde getroffen, wir sind oft Rad gefahren und haben die Insel angesehen. Und ich habe immer lange geschlafen!
   2. Hallo, ich bin Markus Demme. Ich habe im Urlaub einen Freund in München besucht. Wir haben die Stadt besichtigt und dann sind wir in die Alpen gefahren. Wir sind viel gewandert.
   3. Ich bin Manja. Ich war in den Ferien an der Ostsee. Ich war oft am Strand. Ich habe in der Sonne gelegen, viel gebadet und gelesen.

Ü 2

1. Hallo, mein Name ist Carina. Ich war im Urlaub in Heidelberg. Ich war bei meiner Tante und meinen Cousinen. Sie haben ein Einfamilienhaus mit einem Garten. Es war sehr schön, auch das Wetter war prima.
2. Hi, ich bin Julia. In den Ferien war ich mit meiner Klasse und meinem Lehrer im Allgäu. Wir waren in den Bergen. Ich wandere sehr gern, es war toll.
3. Hi, ich bin Cora. Meine Freundin und ich waren an der Ostsee und dann auf Rügen. Das Wetter war leider nicht so gut. Wir waren nur an einem Tag am Strand.
4. Guten Tag, ich heiße Lena. Ich bin jeden Sommer mit meiner Familie auf Sylt. Wir haben auf Sylt ein kleines Reetdachhaus, dort ist es immer sehr schön. Der Strand ist gleich in der Nähe. Die Kinder spielen am Strand und wir können lesen.

Ü 3

– Guten Tag, Frau Mertens.
+ Guten Tag, Herr Marquardt. Waren Sie im Urlaub?
– Ja, zwei Wochen. Ich bin am Montag zurückgekommen.
+ Wo waren Sie denn?
– Wir waren auf der Insel Rügen, in Sassnitz.
+ Und wie war es?
– Es war toll. Wir waren jeden Tag draußen.
+ Und wie war das Wetter?
– Es war prima. 14 Tage nur Sonne!

Ü 6

+ Kommt mit in meine Stadt. Heute machen wir einen Spaziergang durch die Stadt Linz mit Thomas Seifert.

– Hi, ich bin Thomas und lebe seit 15 Jahren in Linz. Für Menschen, die noch nie in Linz waren: Die Stadt liegt an der Donau im Nordosten von Österreich. Viele Touristen fahren gern mit einem Schiff auf der Donau. So sieht man die Stadt vom Wasser. Linz ist die Stadt der Kultur, 2009 war Linz sogar die Kulturhauptstadt Europas. Hier gibt es viel Theater und Musik. Im Frühling und Sommer gibt es viele Festivals. Ich gehe jedes Jahr im Mai zum Linzfest, einem Musikfestival. Dort gibt es tolle Musik aus ganz Europa. Eine wichtige Touristenattraktion ist auch der Mariendom. Wenn Sie nach Linz kommen, müssen Sie unbedingt die Linzer Torte probieren. Sie ist sehr lecker und es gibt sie schon seit 1653! Und zum Schluss meine persönliche Empfehlung: Besuchen Sie auch den Botanischen Garten. Dort ist es schön ruhig und man kann dort den Stadtstress vergessen.

Ü 15

b) 1. Hi, ich fahre gern in den Urlaub. Ich mache gern Sporturlaub. Letztes Jahr habe ich eine Radtour gemacht. Ich bin mit dem Rad in die Berge gefahren – 300 km! Dort bin ich dann viel gewandert und Rad gefahren.

2. Also, ich mache Urlaub immer in der Türkei in einem schönen Hotel am Strand. Ich liebe den Strand und das Meer. Ich lese gern und viel. Museen oder Städtetouren finde ich langweilig. Ich fahre immer mit zwei Freunden in den Urlaub. Wir haben zusammen viel Spaß.

3. Ich mache gern Städteurlaube. In Europa war ich schon in vielen Städten, z. B. in London, Paris, Budapest oder Sevilla. Ich gehe gern in Cafés und Museen. Ich fahre immer mit meiner Freundin in den Urlaub. Nächstes Jahr fahren wir nach Brüssel.

Station 3

1 1

c) + Frau Manteufel, welche Aufgaben haben Sie im Reisebüro?

– Als Reiseverkehrskauffrau organisiere ich Urlaubs- und Geschäftsreisen für unsere Kunden. Ich muss z. B. Abfahrtszeiten für die Reisen mit der Bahn, dem Bus, dem Flugzeug oder dem Schiff recherchieren und Fahrkarten und Tickets buchen. Ich reserviere Zimmer in Hotels, aber auch Ferienwohnungen oder Ferienhäuser, und ich organisiere Exkursionen. Wir müssen viele Länder sehr gut kennen. Ich bin Spezialistin für Reisen in die USA und Kanada, ich muss immer aktuelle Informationen haben.

+ Wie sammeln Sie Ihre Informationen?

– Ich lese aktuelle Reiseführer und Kataloge, und man kann auch Informationen aus Videos sammeln. Mit dem Computer recherchiere ich z.B. Reiseziele, Preise oder Fahrpläne.

+ Verreisen Sie oft?

– Wir reisen leider nicht so oft, nur im Urlaub. Manchmal muss ich eine Qualitätskontrolle in Hotels im Ausland machen oder mich über neue Reisetrends informieren. Dann fahre ich zu einer Messe. Letzte Woche war ich in Friedrichshafen zur Internationalen Touristikmesse „Reisen und Freizeit".

+ Für welche Länder haben Kunden großes Interesse?

– In Europa sind es Griechenland und Italien. Im Trend sind ganz klar Trekking-Touren, z.B. auch in Nepal oder in Kenia. Abenteuerurlaub ist im Moment „in". Unsere Kunden lieben das!

1 3

+ Kevin, wie lange arbeitest du schon im Freibad Tuttlingen?

– Seit vier Jahren arbeite ich hier, gleich nach der Ausbildung habe ich angefangen.

+ Aha, wie lange hat die Ausbildung gedauert?

– Drei Jahre, in Frei- und Hallenbädern und einmal habe ich auch in einem Hotel gearbeitet.

+ Was macht so ein Schwimmmeister wie du den ganzen Tag?

– Oh, das ist ziemlich viel. Ich fange morgens um 7 Uhr an. Ich muss oft die Wasserqualität und die Technik kontrollieren, so drei- oder viermal am Tag.

+ Gibst du auch Schwimmunterricht?

– Nein, das macht eine Kollegin. Der macht das mehr Spaß mit den Kindern …

+ Stimmt, hier sind immer viele Kinder. Passiert sehr viel im Schwimmbad – musst du oft Badegäste retten?

– Nein, zum Glück nicht oft. Aber das gehört zu meinen Aufgaben. Die Leute haben Spaß im Urlaub oder in der Freizeit und ich passe auf.

+ Muss ein Schwimmmeister eigentlich auch schwimmen trainieren?

– Na klar, ich trainiere regelmäßig, oft mehrmals in der Woche.

+ Und im Sommer, kannst du da Urlaub machen?

– Ja, das ist kein Problem, meine Kollegen und ich wechseln uns ab.

+ Was findest du an deinem Beruf vielleicht nicht so gut?

– Da muss ich überlegen, ja, ich kann nie um 6 Uhr nach Hause gehen. Meine Freundin findet das im Sommer nicht so gut, aber sonst macht's Spaß.

2 2

+ Entschuldigung, ich suche den Ausgang, bitte ganz, ganz schnell!

– So, den Ausgang suchen Sie. Also gleich hier links, dann wieder links, dann geradeaus, dann links, dann wieder geradeaus und links, und gleich rechts und noch zweimal rechts und dann zweimal links und noch zweimal links und rechts und noch einmal rechts und links – und dann sind Sie schon da.

+ Danke …, aber leider ist es jetzt zu spät!

10 Essen und trinken

2 1

1. + Guten Tag, ich hätte gern 2 Kilo Kartoffeln.
2. + Was darf es sein?
   – 1 Kilo Äpfel bitte.
3. + Sie wünschen?
   – Ich nehme 10 Eier.
   + Darf es noch etwas sein?
   – Ja, bitte noch 4 Bananen.
4. + Bitte schön?
   – 8 Brötchen, bitte.

2 6

c) + Ich trinke sehr gern Vanilletee.
  – Ich nehme lieber Erdbeertee.
  + Ich trinke sehr gern schwarzen Tee.
  – Ich nehme lieber Früchtetee.
  + Ich trinke sehr gern Kirschtee.
  – Ich nehme lieber Apfeltee.
  + Ich trinke sehr gern Eistee.
  – Ich nehme lieber Zitronentee.

Ü 3

b) + Ich gehe einkaufen. Was soll ich kaufen?
  – 2 l Milch, 8 Brötchen, 100 g Salami …
  + Warte, warte, ich schreibe einen Einkaufszettel.
    So, noch einmal bitte.
  – 2 Stück Butter, 2 l Milch, 8 Bananen, 8 Brötchen,
    100 g Salami, 1 Stück Käse, 1 Brot und 4 Paprika.

Ü 4

Wo ist mein Einkaufszettel? Ach ja, hier. So, was brauchen wir?
1 l Milch, 2 Stück Butter, 4 Joghurt, 6 Eier, 1 kg Kartoffeln,
1 Eis, Nudeln, 500 g Erdbeeren, 5 Äpfel.

Ü 5

+ Guten Tag, Sie wünschen bitte?
– Guten Tag. Ich hätte gern fünf Äpfel.
+ Darf es sonst noch etwas sein?
– Ja, ich nehme noch zwei Paprika.
+ Noch etwas?
– Was kosten denn die Tomaten?
+ Das Kilo 3,99 Euro.
– Dann nehme ich bitte ein Pfund.
+ Bitte schön – sonst noch etwas?
– Danke, das ist alles.

Ü 7

+ 1 kg Tomaten nur 3,99 Euro, 1 kg Äpfel 2,95 Euro. Kommen
  Sie näher, heute haben wir ein großes Angebot! 1 Bund
  Möhren nur 1,49 Euro und 500 g Erdbeeren nur 1,99 Euro!
  Liebe Frau, schauen Sie, 1 kg Kartoffeln 1,80 Euro.
– Danke, Kartoffeln brauche ich nicht. Aber was kosten die
  Gurken?
+ Nur 1,29 Euro das Stück. Zwei Stück gebe ich Ihnen für 2 Euro!
– Gut, dann nehme ich zwei Gurken.

Ü 20

+ Susanne, was isst und trinkst du gern zum Frühstück?
– Ich esse am liebsten ein Müsli. Das ist gesund und schmeckt
  lecker. Dazu trinke ich Tee.
+ Und du, Jan, was magst du gern?
– Ich gehe noch zur Schule, da habe ich morgens wenig Zeit.
  Ich esse nur ein Brot mit Marmelade und trinke ein Glas
  Milch.
+ Herr Becker, was gibt es bei Ihnen zum Frühstück?
– Ich arbeite nicht mehr, da habe ich viel Zeit und frühstücke
  gern und lange. Ich hole frische Brötchen, dazu gibt es
  Marmelade, etwas Käse und Wurst, manchmal auch ein Ei.
  Und natürlich eine gute Tasse Kaffee.
+ Frau Weigmann, wie sieht Ihr Frühstück morgens aus?
– Ich esse morgens ein Brot mit Käse, dazu gibt es ein Glas
  Saft, am liebsten Orangensaft. Bei der Arbeit esse ich dann
  noch einen Joghurt.

11 Kleidung und Wetter

4 3

a) Und hier das Wetter in Europa für morgen, Mittwoch,
den 15. März: In Athen ist es bewölkt, um die fünf Grad.
Berlin – heiter, 15 Grad. London – heiter bis wolkig und
bis zu 17 Grad. In Madrid auch bewölkt und 17 Grad. In
Moskau leichte Schneefälle bei minus drei Grad. Dagegen
scheint in Rom die Sonne bei Temperaturen bis 16 Grad.
In Lissabon ebenfalls 16 Grad, aber es ist mit Regen zu
rechnen.

Ü 3

+ Frau Günther, was sind die Modetrends für den Frühling
  und Sommer?
– Im Frühling bleibt es klassisch. Frauen und Männer tragen
  die Farbe Weiß.
+ Und der Trend für den Sommer?
– Für den Sommer gibt es dieses Jahr viele Farben. Bei den
  Frauen sieht man viel Gelb und Rot, Männer tragen Hellblau.
+ Und welches Kleidungsstück ist im Sommer besonders in?
– Für Frauen ist es das Sommerkleid, bunt oder in Rot und
  Pink. Bei den Männern sind es helle Hosen. Männer tragen
  auch wieder mehr Hüte.

Ü 5

a) 1. + Trägst du gern Röcke?
       – Nein, ich trage lieber Hosen.
       + Und magst du T-Shirts?
       – Ja, ich liebe T-Shirts.
    2. + Trägst du gern Anzüge?
       – Nein, ich trage lieber Kapuzenpullover.
       + Und magst du Hemden?
       – Hemden? Nein, ich mag keine Hemden.

Ü 13

+ Kann ich Ihnen helfen?
– Ich suche eine Hose.
+ Welche Größe haben Sie?
– Größe 40. Haben Sie eine schwarze Hose fürs Büro?
+ Diese hier ist Größe 40. Leider haben wir die nur in Blau
  oder in Rot.
– Kann ich die in Blau anprobieren?
+ Ja, gern. Hier, bitte.
– Hmm … die gefällt mir gut. Sie ist auch sehr bequem.
  Steht sie mir?
+ Ja, die steht Ihnen ausgezeichnet.
– Gut, dann nehme ich sie.

Ü 17

+ Kann ich Ihnen helfen?
– Ja, ich suche ein Hemd fürs Büro.
+ Welche Größe haben Sie?
– 40 bis 42.
+ In Größe 40 haben wir diese Hemden hier. Welche Farbe
  gefällt Ihnen?
– Ich mag Hellblau.
+ Hellblau sind diese beiden Hemden. Möchten Sie sie
  anprobieren?
– Dieses hier gefällt mir nicht, aber dieses probiere ich an.
+ Gut, die Umkleidekabine ist dort links.

Ü 19

Herzlich Willkommen beim Europawetter. In Madrid sind
27 Grad und es ist leicht bewölkt. In Lissabon ist es mit
30 Grad sehr heiß, aber windig. In Paris ist es sonnig bei
24 Grad. In London regnet es und es sind 19 Grad. In Berlin
und Wien ist es warm mit 23 Grad, aber bewölkt. In
Budapest gibt es leichten Regen und 25 Grad. In Warschau
scheint die Sonne und es sind 22 Grad. In Kopenhagen ist es
mit 18 Grad kalt und windig.

12 Körper und Gesundheit

2 1

+ Praxis Dr. Otto, Viola, was kann ich für Sie tun?
– Guten Morgen, mein Name ist Aigner. Ich fühle mich nicht
  gut. Ich möchte einen Termin bei Frau Dr. Otto.
+ Heute ist die Praxis voll, aber morgen um 08.30 Uhr
  können Sie kommen.
– Morgen ist Dienstag ... ja, das ist gut.
+ Also bis morgen, 08.30 Uhr, Herr Aigner, und bringen Sie
  bitte Ihre Versicherungskarte mit.

2 2

a) + Guten Morgen, mein Name ist Aigner. Ich habe einen
     Termin.
   – Morgen, Herr Aigner. Waren Sie in diesem Quartal
     schon mal bei uns?
   + Nein, in diesem Quartal noch nicht.
   – Dann brauche ich Ihre Versichertenkarte.
   + Hier, bitte. Muss ich warten?
   – Nein, Sie können gleich ins Arztzimmer gehen.

Ü 1

b) 1. Knien Sie auf dem Boden. Stellen Sie die Füße auf und
      strecken Sie Ihre Beine und Arme. Heben Sie Ihren Po.
      Ihr Rücken ist gerade.
   2. Gehen Sie auf die Knie. Die Hände sind fest am Boden.
      Heben Sie Ihren Oberkörper. Der Rücken ist nicht
      gerade. Legen Sie den Kopf nach unten.
   3. Legen Sie sich auf den Bauch. Heben Sie Ihren Ober-
      körper mit den Armen hoch. Strecken Sie Ihren Kopf.
   4. Stehen Sie gerade. Legen Sie den linken Fuß an das
      rechte obere Bein. Die Arme sind vor dem Körper.

Ü 11

+ Was fehlt Ihnen?
– Ich habe Kopfschmerzen.
+ Haben Sie auch Halsschmerzen?
– Ja, seit zwei Tagen.
+ Sagen Sie mal Aaaah!
– Aaahhhhhhhh!
+ Sie haben eine Grippe. Ich schreibe Ihnen ein Rezept.
– Wie oft muss ich die Medikamente nehmen?
+ Dreimal am Tag. Immer vor dem Essen. Gute Besserung!
– Danke. Auf Wiedersehen!

Ü 14

+ Ich habe seit Tagen Halsschmerzen und keinen Appetit.
– Ja, Sie haben eine leichte Grippe. Bleiben Sie zu Hause und
  ruhen Sie sich aus. Ich verschreibe Ihnen Tabletten, dann
  geht es Ihnen besser.
+ Wie oft nehme ich die Tabletten?
– Nehmen Sie die Tabletten zweimal am Tag vor dem Essen.
  Trinken Sie keinen Alkohol, aber trinken Sie viel Tee. Essen
  Sie viel Gemüse und Suppe. In ein paar Tagen geht es Ihnen
  besser!

Station 4

1 5

b) 1. + Was kann ich für Sie tun?
      – Ich muss am 27. September in Istanbul sein.
      + Also, es gibt einen Flug am 27.09. um 11.35 Uhr.
      – Wann bin ich dann in Istanbul?
      + Um 14.10 Uhr.
      – Wie viel kostet der Flug?
      + 278 Euro, inklusive Steuern.
      – Ja, der ist gut, den nehme ich.
   2. + Guten Morgen, Frau Otto. Wie geht es Ihnen?
      – Danke, besser. Ich habe kein Fieber.
      + Kein Fieber? Wir messen aber noch einmal vor dem
        Frühstück.
      – Wann gibt es Frühstück?
      + In zwei Minuten, danach nehmen Sie bitte die
        Tabletten, okay?
      – Gut aber geben Sie mir bitte noch ein Glas Wasser.

4

1. + Grüß Gott, möchten Sie bestellen?
   – Ja, ich hätte gern den faschierten Braten mit Erdäpfelsalat.
   + Gerne. Und zu trinken?
   – Apfelsaft gespritzt.
   + Gut, einen Apfelsaft gespritzt und den faschierten
     Braten mit Erdäpfelsalat ...
   + Hat´s gepasst?
   – Ja, es war sehr lecker. Danke.
2. + Guten Tag, möchten Sie bestellen?
   – Ja, ich hätte gern die Forelle mit Bratkartoffeln.
   + Gerne. Und zu trinken?
   – Ein Mineralwasser, bitte. ...
   + Hat es Ihnen geschmeckt?
   – Ja, danke.
3. Grüezi, was kann ich Ihnen bringen?
   – Ich hätte gern den Salatteller mit Pouletbruststreifen.
   + Gern. Und zu trinken?
   – Ein Bier.

Alphabetische Wörterliste

Die alphabetische Wörterliste enthält den Lernwortschatz aller Einheiten. Zahlen, grammatische Begriffe sowie Namen der Personen, Städte und Länder sind in der Liste nicht enthalten.

Wörter, die nicht zum Zertifikatswortschatz gehören, sind kursiv ausgezeichnet.

Die Zahlen bei den Wörtern geben an, wo Sie die Wörter in den Einheiten finden (z. B. 5/3.4 bedeutet Einheit 5, Block 3, Aufgabe 4).

Die Punkte (.) und die Striche (–) unter den Wörtern zeigen den Wortakzent:
ạ = kurzer Vokal
a̲ = langer Vokal

A

ạb	5/3.4
der Ạbend, die Abende	5/3.1
das Ạbendessen, die Abendessen	5/2.2a
ạbends	8/4.1
ạber	4/1.1
die Ạbfahrt, die Abfahrten	8/1
ạbholen, er holt ab, er hat abgeholt	7/4.3
ạbwechselnd	12/3.1a
die Adrẹsse, die Adressen	4/1.2
das Aerobic	7/3.3a
die Aktivitạ̈t, die Aktivitäten	9/3.6a
der Ạlkohol	12/2.5
alkoholfrei	1/4.3
ạlle	1/4.5
allein	2/4.1
ạlles	8/4.1
ạls	11/4.5a
ạlso	5/3.2b
ạlt	4/1.3
der Ạltbau, die Altbauten	4/0
die Ạltbauwohnung, die Altbauwohnungen	4/1
ạltmodisch	11/2.4
die Ạltstadt, die Altstädte	9/0
am bẹsten	10/3.1.5b
die Ạmpel, die Ampeln	8/3.1a
ạn	2/4.1
die Ạnanas	10/4.3
ạnbraten, er brät an, er hat angebraten	10/5.1
ạnderer	7/3.5b
ạnfangen, er fängt an, er hat angefangen	5/3.6a
die Ạngabe, die Angaben	7/5.4
das Ạngebot, die Angebote	11/3.1a

die Angi̲na, die Anginas	12/2.3
der/die Animateu̲r/in, die Animateure/Animateurinnen	7/3.3a
die Ạnkunft, die Ankünfte	8/1
ạnprobieren, er probiert an, er hat anprobiert	11/3.1a
der Ạnruf, die Anrufe	5/3.3a
ạnrufen, er ruft an, er hat angerufen	5/4.3
ạnschauen, er schaut an, er hat angeschaut	9/2
ạnschreiben, er schreibt an, er hat angeschrieben	2/1.2
ạnsehen, er sieht an, er hat angesehen	12/4.3a
ạntworten, er antwortet, er hat geantwortet	3/1.5
ạnwinkeln, er winkelt an, er hat angewinkelt	12/1
ạnziehen, er zieht an, er hat angezogen	11/2.2b
der Ạnzug, die Anzüge	11/0
der Ạpfel, die Äpfel	10/1.1b
der Ạpfelkuchen, die Apfelkuchen	10/4.3
der Ạpfelsaft, die Apfelsäfte	1/0
die Ạpfelsaftschorle, die Apfelsaftschorlen	1/4.3
die Apothe̲ke, die Apotheken	12/2.2b
der Apri̲l	9/4.1
die Ạrbeit, die Arbeiten	2/4.1
ạrbeiten, er arbeitet, er hat gearbeitet	2/4.1
der/die Ạrbeitgeber/in, die Arbeitgeber/innen	12/2.5
der/die Ạrbeitnehmer/in, die Arbeitnehmer/innen	12/2.2b

die **Arbeitsanweisung**,
die Arbeitsanweisungen 2/4.2a
der **Arbeitsort**, die Arbeitsorte 7/3.3b
der **Arbeitsplatz**, die Arbeitsplätze 10/5.1
die **Arbeitswelt**, die Arbeitswelten 11/0
die **Arbeitszeit**, die Arbeitszeiten 7/3.2a
das **Arbeitszimmer**,
die Arbeitszimmer 4/2.1c
die **Architektur**, die Architekturen 8/4.1
arm 4/6.1a
der **Arm**, die Arme 12/1
der **Ärmel**, die Ärmel 11/3.1a
der **Artikel**, die Artikel 2/4.2a
der/die **Arzt/Ärztin**,
die Ärzte/Ärztinnen 5/2.7
die **Arztkosten** (Pl.) 12/2.2b
die **Arztpraxis**, die Arztpraxen 12/2.4
der **Arzttermin**, die Arzttermine 6/4.1a
die **Atmosphäre**, die Atmosphären 8/4.1
die **Attraktion**, die Attraktionen 9/1
attraktiv 6/5.1
auch Start 2.3
auf 2/1.2
auf dem Land 4/0
Auf Wiederhören! 5/3.2b
Auf Wiedersehen! 1/4.4a
der **Auflauf**, die Aufläufe 10/5.1
aufstehen, er steht auf,
er ist aufgestanden 5/2.3
das **Auge**, die Augen 12/1
der **August** 9/1
aus Start 2.1
aus sein, es ist aus, es war aus 12/4.1
der **Ausgang**, die Ausgänge 6/2.1
ausgehen, er geht aus,
er ist ausgegangen 5/2.3
das **Ausland** 7/3.3c
ausruhen (sich), er ruht sich aus,
er hat sich ausgeruht 12/2.5
die **Ausrüstung**, die Ausrüstungen 12/1
das **Auto**, die Autos Start 3.3
die **Autobahn**, die Autobahnen 5/3.3a
das **Autohaus**, die Autohäuser 5/1.3
der/die **Autourlauber/in**,
die Autourlauber/innen 9/5.1

B

backen, er backt/bäckt,
er hat gebacken 10/5.1
der/die **Bäcker/in**, die Bäcker/innen 10/1.1b
der **Backofen**, die Backöfen 10/5.1
das **Bad**, die Bäder 4/2.1a

baden, er badet, er hat gebadet 4/2.1a
das **Badezimmer**, die Badezimmer 4/2.1c
die **Bahn**, die Bahnen 5/4.6b
der **Bahnhof**, die Bahnhöfe 5/2.7
bald 8/4.1
der **Balkon**, die Balkons 4/0
der **Ball**, die Bälle 9/3.2
die **Banane**, die Bananen 10/1.1b
die **Bank**, die Banken 5/6.1
die **Bar**, die Bars 6/2.1
der **Bauch**, die Bäuche 12/1
die **Bauchschmerzen** (Pl.) 12/2.5
das **Bauernhaus**, die Bauernhäuser 4/1
der **Bauernhof**, die Bauernhöfe 4/1.3
der **Baum**, die Bäume 11/4.5a
die **Baustelle**, die Baustellen 7/0
beachten, er beachtet,
er hat beachtet 9/4.1
beantworten, er beantwortet,
er hat beantwortet 8/1.2b
der **Becher**, die Becher 2/1.3a
beginnen, er beginnt,
er hat begonnen 5/4.5b
die **Begrüßung**, die Begrüßungen 1/1.3
bei 2/4.1
beide 4/1.1
beige 11/0
das **Bein**, die Beine 12/1
bekommen, er bekommt,
er hat bekommen 4/6.1b
beliebt 8/1.2a
beraten, er berät, er hat beraten 7/3.1
die **Beratung**, die Beratungen 6/4.1a
der **Berg**, die Berge 9/0
der **Bergsport** 12/1
der/die **Bergsteiger/in**,
die Bergsteiger/innen 12/1
der **Beruf**, die Berufe 5/3.4
der/die **Berufstätige**, die Berufstätigen 7/5.4
berühmt 6/5.1
besichtigen, er besichtigt,
er hat besichtigt 8/1.2a
die **Besichtigung**, die Besichtigungen 9/1
besonders 8/1.2a
die **Besprechung**, die Besprechungen 6/4.1a
besser (als) 10/3.1.5b
bestellen, er bestellt,
er hat bestellt 1/2.3
bestimmt 11/3.1a
der **Besuch**, die Besuche 8/4.2b
besuchen, er besucht,
er hat besucht 6/5.1

das **Bett**, die Betten	4/4.1
die *Bewegung*, *die Bewegungen*	12/1.1c
bewölkt	11/4.1
bezahlen, er bezahlt,	
er hat bezahlt	1/4.4b
die **Bibliothek**, die Bibliotheken	6/2.1
der/die *Bibliothekar/in*,	
die Bibliothekare/Bibliothekarinnen	6/1
das **Bier**, die Biere	1/0
das **Bild**, die Bilder	6/3.1a
bilden, *er bildet*, *er hat gebildet*	9/2.5b
billig	4/2.2b
das *Bio-Ei*, *die Bio-Eier*	10/3.1.6
die *Biografie*, *die Biografien*	2/4.2a
die **Birne**, die Birnen	10/2.6b
bis	4/6.1a
bis später	5/1.3
bitte	1/1.1b
blau	11/0
bleiben, er bleibt, er ist geblieben	9/3.5b
der **Bleistift**, die Bleistifte	2/0
die **Blume**, die Blumen	7/0
das **Blumengeschäft**,	
die Blumengeschäfte	7/0
die **Bluse**, die Blusen	11/0
der/die *Bodybuilder/in*,	
die Bodybuilder/innen	12/1
das *Bodybuilding*	12/1
die **Bratwurst**, die Bratwürste	10/4.3
brauchen, er braucht,	
er hat gebraucht	4/6.1a
braun	11/0
breit	4/6.1a
der **Brief**, die Briefe	7/5.1a
die **Brille**, die Brillen	2/0
bringen, er bringt, er hat gebracht	7/2.3
das **Brot**, die Brote	10/0
das **Brötchen**, die Brötchen	2/1.3a
die **Brücke**, die Brücken	8/2.4
der **Bruder**, die Brüder	2/2.5a
das **Buch**, die Bücher	2/0
das **Bücherregal**, die Bücherregale	4/2.2b
die *Buchmesse*, *die Buchmessen*	6/5.1
der *Buchstabe*, *die Buchstaben*	2/4.2a
buchstabieren, er buchstabiert,	
er hat buchstabiert	2/1
das **Buffet**, die Buffets	5/3.5
der *Bummel*, *die Bummel*	9/2
bummeln, er bummelt,	
er ist gebummelt	8/1.2a
das **Bund**, die Bunde	10/1
bunt	11/0

das **Büro**, die Büros	Start 1.2a
der **Bürostuhl**, die Bürostühle	4/4.3
der **Bus**, die Busse	6/0
der *Busbahnhof*, *die Busbahnhöfe*	8/1
die **Butter**, die Butter	10/0

C

das **Café**, die Cafés	5/3.6b
das *Call-Center*, *die Call-Center*	7/3.2a
der/die *Call-Center-Agent/in*,	
die Call-Center-Agenten/Agentinnen	7/3.2a
der **Cappuccino**, die Cappuccini	1/0
die **CD**, die CDs	2/4.2a
der **Cent**, die Cents	10/2.7
das *Chaos*	4/2.2b
chaotisch	4/3.5
checken, *er checkt*, *er hat gecheckt*	12/1
der **Chef**, die Chefs	6/4.1a
die *Chipkarte*, *die Chipkarten*	12/2.2b
der *Chor*, *die Chöre*	6/5.1
circa, *ca.*	4/6.1a
der *Club*, *die Clubs*	8/4.2a
die **(Coca-)Cola**, die Colas	1/0
der **Computer**, die Computer	Start 1.2a
das **Computerprogramm**,	
die Computerprogramme	7/2.1
cool	4/7.1
die *Currywurst*, *die Currywürste*	10/3.1a

D

da sein, er ist da, er war da	5/1.3
das **Dach**, die Dächer	9/1
danach	8/2.4b
daneben	4/3.5
danke	1/4.4a
dann	5/1.3
darauf geben, *er gibt darauf*,	
er hat darauf gegeben	10/5.1
dazu	10/5.1
dazu geben, *er gibt dazu*,	
er hat dazu gegeben	10/5.1
denken, er denkt, er hat gedacht	11/3.2
denn	3/1.5
deutsch	3/4.2
das **Deutsch (auf Deutsch)**	2/1
der/die **Deutsche/r**, die Deutschen	5/4.6b
der **Deutschkurs**, die Deutschkurse	1/1.1b
Deutschland	Start 1.3
der/die **Deutschlehrer/in**,	
die Deutschlehrer/innen	Start 2.1
der **Dezember**	9/4.1
dick	12/3.2

der **Dienstag**, die Dienstage		5/1
die **Dienstreise**, *die Dienstreisen*		6/4.1a
dieser, dieses, diese		8/4.3
das **Ding**, die Dinge		7/2.1
die **Disko**, die Diskos		5/3.6b
doch		3/2.1a
der **Dom**, die Dome		3/0
der **Döner**, *die Döner*		10/3.1.2
der **Donnerstag**, die Donnerstage		5/1
das **Dorf**, die Dörfer		3/0
dort		6/2.1
die **Dose**, die Dosen		10/4.3
draußen		11/4.1
dreimal		12/2.5
drin		10/4.3
der **Drucker**, die Drucker		6/3.1a
dunkel		4/2.1b
dunkelblau		11/0
dunkelgrau		11/3.1a
durch		8/1.2a
dürfen, er darf, er durfte		10/2.3
duschen, er duscht, er hat geduscht		12/3.1a
die **DVD**, *die DVDs*		4/6.1a

E

egal		11/3.1a
das **Ei**, die Eier		10/0
ein bisschen		3/4.2
einfach		4/6.1a
das **Einfamilienhaus**, die Einfamilienhäuser		4/1
einkaufen, er kauft ein, er hat eingekauft		5/2.7
die **Einkaufspassage**, *die Einkaufspassagen*		6/5.1
der **Einkaufszettel**, die Einkaufszettel		10/2.2
die **Einladung**, die Einladungen		6/4.1a
einmal		Start 3.7b
einpacken, er packt ein, er hat eingepackt		7/5.3
einreiben, *er reibt ein, er hat eingerieben*		12/2.5
das **Eis**		10/4.3
der **Eiskaffee**, die Eiskaffees		1/0
der **Eistee**, die Eistees		1/0
die **Eltern** (Pl.)		6/4.1a
die **E-Mail**, die E-Mails		7/2.4
die **Energie**, die Energien		12/3.1a
eng		11/0
das **Englisch**		2/4.1
entlang		8/2.1a

entscheiden (sich), er entscheidet sich, er hat sich entschieden		9/5.1
die **Entschuldigung**, die Entschuldigungen		1/1.1b
die **Entspannung**, *die Entspannungen*		12/1
die **Erdbeere**, die Erdbeeren		10/1
das **Erdgeschoss**, die Erdgeschosse		6/2.1
das **Ergebnis**, *die Ergebnisse*		10/3.1b
erholen (sich), er erholt sich, er hat sich erholt		12/1
erkälten (sich), *er erkältet sich, er hat sich erkältet*		12/2.3
erkältet		12/2.3
die **Erkältung**, die Erkältungen		12/3.1a
erklären, er erklärt, er hat erklärt		2/4.3
erleben, *er erlebt, er hat erlebt*		9/4.3
die **Ernährung**, *die Ernährungen*		12/3.1a
erreichen, er erreicht, er hat erreicht		9/2
erst		5/4.6b
der/die **Erwachsene**, die Erwachsenen		12/Ü4
der **Espresso**, die Espressi		1/4.3
essen		4/2.1a
das **Essen**, die Essen		5/2.7
die **Essenszeit**, *die Essenszeiten*		10/5.1
der **Esstisch**, die Esstische		4/4.2b
die **Etage**, die Etagen		6/1
die **Etappe**, *die Etappen*		9/2
etwas		1/2.3c
der **Euro**, die Euros		Start 1.2a
der/die **Europäer/in**, *die Europäer/innen*		5/4.6b
die **Europäische Union (EU)**		1/4.5
die **Eurozone**, *die Eurozonen*		1/4.5
existieren, *er existiert, er hat existiert*		6/5.1
die **Exkursion**, *die Exkursionen*		8/1

F

die **Fabrik**, *die Fabriken*		7/3.5
das **Fachwerkhaus,** *die Fachwerkhäuser*		4/0
die **Fähre**, die Fähren		6/0
fahren, er fährt, er ist gefahren		5/4.6b
das **Fahrrad**, die Fahrräder		2/3.4c
die **Fahrt**, die Fahrten		5/1.3
fallen, er fällt, er ist gefallen		9/3.2
falsch		2/Ü18a
die **Familie**, die Familien		Start 4.1a
die **Fanta**, *die Fantas*		1/4.3
die **Farbe**, die Farben		11/5.1
fast		9/1
der **Februar**		9/4.1
fehlen, *er fehlt, er hat gefehlt*		11/4.5a
feiern, er feiert, er hat gefeiert		8/4.2a

das **Fenster**, die Fenster	2/3.4c
die **Ferien** (Pl.)	7/4.3
der **Ferientermin**, die Ferientermine	9/4.1
fernsehen, er sieht fern, er hat ferngesehen	7/4.3
der **Fernseher**, die Fernseher	4/5.1
*der **Fernsehturm**, die Fernsehtürme*	8/1.2c
die **Feuerwehr**	1/4.2a
das **Fieber**	12/2.3
der **Film**, die Filme	5/3.6a
*die **Finanzen** (Pl.)*	Start 3.3
finden (etwas gut/... finden), er findet, er hat gefunden	Start 4.1a
finden (etwas finden), er findet, er hat gefunden	6/2.1
der **Finger**, die Finger	12/1
*die **Fingerspitze**, die Fingerspitzen*	12/1.1
die **Firma**, die Firmen	9/Ü17
der **Fisch**, die Fische	10/1.2
*das **Fitness-Studio**, die Fitness-Studios*	5/3.5
die **Flasche**, die Flaschen	10/2.3
das **Fleisch**	10/1.1b
die **Fleischerei**, die Fleischereien	10/1.1b
*das **Fleischgericht**, die Fleischgerichte*	10/3.1b
flexibel	7/3.2a
fliegen, er fliegt, er ist geflogen	Start 4.1a
der **Flieger**, die Flieger	9/4.3
*der **Flohmarkt**, die Flohmärkte*	8/1.2a
der/die **Florist/in**, die Floristen/Floristinnen	7/1.1
das **Flugticket**, die Flugtickets	7/3.2a
*die **Flugzeit**, die Flugzeiten*	7/3.2a
der **Flur**, die Flure	4/2.1a
der **Fluss**, die Flüsse	9/0
folgen, er folgt, er ist gefolgt	10/3.1b
formulieren, er formuliert, er hat formuliert	8/4.2b
das **Foto**, die Fotos	2/2.2
fotografieren, er fotografiert, er hat fotografiert	8/1.2a
die **Frage**, die Fragen	2/2.2
fragen, er fragt, er hat gefragt	3/1.5
die **Frau**, die Frauen	Start 2.1
frei	1/1.1b
der **Freitag**, die Freitage	5/1
die **Freizeit**, die Freizeiten	8/4.2b
die **Fremdsprache**, die Fremdsprachen	7/3.2b
freuen (sich), er freut sich, er hat sich gefreut	12/4.3b
der/die **Freund/in**, die Freunde/Freundinnen	2/4.1
freundlich	7/3.2a
frisch	12/3.1a
der/die **Friseur/in**, die Friseure, Friseurinnen	5/4.5b
der **Friseursalon**, die Friseursalons	7/0
die **Frucht**, die Früchte	11/4.5a
früh	7/3.5
früher	10/3.1b
der **Frühling**	9/4.1
das **Frühstück**, die Frühstücke	5/2.2a
frühstücken, er frühstückt, er hat gefrühstückt	5/2.3
fühlen (sich), er fühlt sich, er hat sich gefühlt	12/2.5
*der **Füller**, die Füller*	2/0
funktionieren, er funktioniert, er hat funktioniert	4/6.1a
für	2/4.1
der **Fuß (zu Fuß)**, die Füße	6/0
der **Fußball**, die Fußbälle	2/3.4c
das **Fußballtraining**, die Fußballtrainings	7/4.3
die **Fußgängerzone**, die Fußgängerzonen	8/3.5

G

die **Galerie**, die Galerien	8/1.2c
ganz	8/2.1a
ganze	6/5.1
gar nicht	10/4.1
*die **Garage**, die Garagen*	4/0
*die **Garderobe**, die Garderoben*	6/2.1
der **Garten**, die Gärten	4/0
der **Gast**, die Gäste	10/3.1b
geben, er gibt, er hat gegeben	6/5.1
geben (es gibt), es gibt, es hat gegeben	4/7.2
der **Geburtstag**, die Geburtstage	6/4.2
gefallen, er gefällt, er hat gefallen	8/4.1
gegen	12/2.2b
gehen (ich gehe), er geht, er ist gegangen	2/4.1
gehen (geht es am ...?), es geht, es ist gegangen	5/3.2b
gehen (wie geht's?), es geht, es ist gegangen	3/2.1a
gelb	11/0
das **Geld**, die Gelder	7/3.5
das **Gemüse**	10/2.6b
gemütlich	4/1.1
genau	8/3.1a
genauso	5/4.6b

geradeaus	8/2.1a
das Gericht, die Gerichte	10/3.1b
gern(e)	1/2.3b
das Geschäft, die Geschäfte	5/2.7
das Geschenk, die Geschenke	8/3.3
die Geschwister (Pl.)	9/Ü12
das Gespräch, die Gespräche	4/5.2a
gestern	8/4.2b
gesund	10/3.1b
die Gesundheit	12/ 3.1a
das Getränk, die Getränke	1/4.3
getrennt	1/4.4a
die Gitarre, die Gitarren	2/4.1
das Glas, die Gläser	10/3.1.4
glauben, er glaubt, er hat geglaubt	5/4.6b
gleich	1/4.5
gleicher, gleiches, gleiche	11/4.1
das Glück	4/6.1a
glücklich	12/4.3a
der Grad, die Grade	10/5.1
das Gramm, die Gramm	10/2.1b
das Gras, die Gräser	11/4.5a
grau	11/0
die Grillparty, die Grillpartys	11/4.1
groß	4/1.1
die Größe, die Größen	11/3.1a
die Großeltern (Pl.)	9/Ü12
die Großstadt, die Großstädte	6/5.1
grün	11/0
die Gruppe, die Gruppen	8/4.1
der Gruß, die Grüße	4/6.1a
Grüß dich!	1/1.1b
die Gurke, die Gurken	10/2.5a
gut	3/2.1a
Gute Besserung!	12/2.3
Guten Abend!	5/3.1
Guten Appetit!	10/5.1
Guten Morgen!	5/1.3
Guten Tag!	Start 2.1
die Gymnastik, die Gymnastiken	12/0

H

das Haar, die Haare	7/2.1
haben, er hat, er hatte	Start 4.1a
der Hafen, die Häfen	9/0
das Hähnchen, die Hähnchen	10/0
hätte gern	10/1.0
halb	5/2.2a
hallo	Start 2.1
der Hals, die Hälse	12/1.2b

die Halsentzündung, die Halsentzündungen	12/2.3
die Halsschmerzen (Pl.)	12/2.5
die Halstablette, die Halstabletten	12/3.2
der Hamburger, die Hamburger	10/3.1b
die Hand, die Hände	7/3.5
der Handschuh, die Handschuhe	Stat. 4/2.1b
das Handy, die Handys	2/0
hängen, er hängt, er hat gehängt	6/3.2b
hart	12/1
hassen, er hasst, er hat gehasst	7/5.4
hässlich	11/2.4
der Hauptbahnhof, die Hauptbahnhöfe	6/1
die Hauptmahlzeit, die Hauptmahlzeiten	10/5.1
die Hauptstadt, die Hauptstädte	3/3.4
das Haus, die Häuser	2/2.1
der/die Hausarzt/Hausärztin, die Hausärzte/Hausärztinnen	12/2
die Hausaufgabe, die Hausaufgaben	2/4.3
die Hausfrau, die Hausfrauen	7/2.2
der Haushalt, die Haushalte	7/3.2a
der Hausmann, die Hausmänner	7/2.2
heben, er hebt, er hat gehoben	12/1
das Heft, die Hefte	2/0
die Heimat, die Heimaten	2/4.1
heiß	6/3.3
heißen, er heißt, er hat geheißen	Start 2.1
heiter	11/4.3a
die Heizung, die Heizungen	7/2.3
helfen, er hilft, er hat geholfen	4/6.1b
hell	4/2.2b
hellblau	11/0
das Hemd, die Hemden	11/0
der Herbst	9/4.1
die Herbstferien (Pl.)	9/4.1
der Herd, die Herde	4/5.1
die Herde, die Herden	11/4.5a
der Herr, die Herren/Herrn	Start 2.1
das Herz, die Herzen	12/1
heute	3/4.1
hier	4/2.1b
die Hilfe, die Hilfen	4/6.1a
der Himmel, die Himmel	11/4.5a
hinter	6/2.3
der Hit, die Hits	8/1.2a
die Hitze	11/4.2
das Hobby, die Hobbys	2/4.1
das Hochhaus, die Hochhäuser	4/0

	hoffen, er hofft, er hat gehofft	11/0
die	**Hoffnung**, die Hoffnungen	11/0
	hören, er hört, er hat gehört	2/1.3b
die	**Hose**, die Hosen	11/0
das	**Hotel**, die Hotels	6/1.1
der	**Hund**, die Hunde	2/3.4a
	husten, er hustet, er hat gehustet	12/2.3
der	**Husten**	12/2.5
der	*Hustensaft, die Hustensäfte*	12/2.2b
der	**Hut**, die Hüte	11/0

I

die	**Idee**, die Ideen	12/1.1c
	im	2/4.1
	immer	7/3.2a
das	*Immunsystem,*	
	die Immunsysteme	12/3.1a
	in	Start 2.3
	in Ruhe lassen	12/4.3b
die	*Industriestadt, die Industriestädte*	6/5.1
die	**Information,**	
	die Informationen	6/2.4a
	informieren, er informiert,	
	er hat informiert	7/3.2a
der/die	**Ingenieur/in,**	
	die Ingenieure/Ingenieurinnen	7/1.1
die	**Insel**, die Inseln	9/0
	interessant	7/3.3a
	interessieren (sich), er interessiert	
	sich, er hat sich interessiert	8/4.1
	international	6/5.1
die	**Internetseite**, die Internetseiten	6/2.1
der	*Irrtum, die Irrtümer*	8/3.2

J

	ja	1/1.1b
die	**Jacke**, die Jacken	11/0
das	**Jahr**, die Jahre	3/4.2
die	**Jahreszeit**, die Jahreszeiten	11/4.1
der	**Januar**	9/4.1
die	**Jeans**, die Jeans	11/0
	jeder, jedes, jede	6/1
	jemand	7/2.1
	jetzt	Start 2.3
der	**Job**, die Jobs	7/5.4
	joggen, er joggt, er ist gejoggt	12/3.1a
der/das	**Joghurt**, die Joghurts	10/0
	jüdisch	8/4.2b
der	**Juli**	9/1
der	**Junge**, die Jungen	Start 3.7a
der	**Juni**	8/1

K

der	**Kaffee**, die Kaffees	1/0
die	**Kaffeetasse**, die Kaffeetassen	6/3.1a
das	*Kaffeetrinken*	6/4.1a
der	**Kakao**, die Kakaos	1/0
der	**Kalender**, die Kalender	5/0
die	*Kalorie, die Kalorien*	10/3.1b
	kalt	6/3.3
die	*Kälte*	11/4.2
die	**Kamera**, die Kameras	8/3.3
die	**Kantine**, die Kantinen	10/3.1b
	kaputt	7/2.3
die	**Karte**, die Karten	8/1
die	**Kartoffel**, die Kartoffeln	10/0
der	**Käse**	10/0
die	**Kasse**, die Kassen	Start 1.2a
der	*Katalog, die Kataloge*	6/2.1
die	**Katze**, die Katzen	2/3.6
	kaufen, er kauft, er hat gekauft	8/1
	kein, kein, keine	2/1
	Keine Ahnung!	2/3.4a
der	*Keller, die Keller*	4/2.1b
	kennen, er kennt, er hat gekannt	7/5.2
	kennenlernen, er lernt kennen,	
	er hat kennengelernt	8/4.1
der	**Ketchup**, die Ketchups	10/2.3
der/die	*KfZ-Mechatroniker/in,*	
	die KfZ-Mechtroniker/innen	7/2.1
das	**Kilogramm (Kilo, kg),**	
	die Kilogramme	10/2.1b
das	**Kind**, die Kinder	2/4.1
der	**Kindergarten**, die Kindergärten	7/4.3
das	**Kinderzimmer**, die Kinderzimmer	4/2.1b
das	**Kino**, die Kinos	5/3.6a
die	**Kirche**, die Kirchen	8/0
	klar	1/1.1b
	klassisch	8/4.1
das	**Kleid**, die Kleider	11/0
die	**Kleidung**, die Kleidungen	11/1.2
	klein	4/1.1
	klopfen, er klopft, er hat geklopft	12/4.3a
das	**Kloster**, die Klöster	9/2
das	**Kilometer (km)**, die Kilometer	9/2
das	**Knie**, die Knie	12/1.2a
der/die	*Koch/Köchin,*	
	die Köche/Köchinnen	7/1.1
	kochen, er kocht, er hat gekocht	4/2.1a
der	**Koffer**, die Koffer	7/5.3
der/die	**Kollege/Kollegin,**	
	die Kollegen/Kolleginnen	7/3.2a
	kombinieren, er kombiniert,	
	er hat kombiniert	11/0

kommen, er kommt,
er ist gekommen Start 2.1
der/die **Komponist/in**,
die Komponisten/Komponistinnen 6/5.1
können, er kann, er konnte 2/1
kontrollieren, er kontrolliert,
er hat kontrolliert 7/3.3a
die *Konzentration, die Konzentrationen* 12/1
das **Konzert**, die Konzerte Start 1.2a
der **Kopf**, die Köpfe 12/1
die **Kopfschmerzen** (Pl.) 12/2.2b
der *Körper, die Körper* 12/1
korrigieren, er korrigiert,
er hat korrigiert 7/3.4
kosten, es kostet, es hat gekostet 4/2.2b
krank 12/2.3
das **Krankenhaus**, die Krankenhäuser 7/
die *Krankenkasse, die Krankenkassen* 7/2.3
der/die **Krankenpfleger/in**,
die Krankenpfleger/innen 7/2.2
die **Krankenschwester**,
die Krankenschwestern 7/1.1
die **Krankenversicherung**,
die Krankenversicherungen 12/2.2b
die **Krankenversicherungskarte**,
die Krankenversicherungskarten 12/2.2a
die *Krankheit, die Krankheiten* 12/2.4
die *Krankmeldung*,
die Krankmeldungen 12/2.5
krankschreiben, er schreibt krank,
er hat krankgeschrieben 12/2.3
die **Kreuzung**, die Kreuzungen 8/2.4
die **Küche**, die Küchen 4/2.1a
der **Kuchen**, die Kuchen 10/0
die *Küchenlampe, die Küchenlampen* 4/4.2b
der **Küchenschrank**,
die Küchenschränke 4/4.1
der *Küchentisch, die Küchentische* 4/4.2a
der **Kühlschrank**, die Kühlschränke 4/5.1
der **Kuli**, die Kulis 2/0
die **Kultur**, die Kulturen 3/4.1
der/die **Kunde/Kundin**,
die Kunden/Kundinnen 7/3.1
der **Kurs**, die Kurse 2/4.1
der/die **Kursleiter/in**,
die Kursleiter/innen 2/4.3
der/die **Kursteilnehmer/in**,
die Kursteilnehmer/innen 2/4.3
kurz 3/4.2
kurz vor 9/3.2
küssen, er küsst, er hat geküsst 11/4.5a

L

lachen, er lacht, er hat gelacht 12/4.3b
die **Lampe**, die Lampen 2/0
das **Land**, die Länder 1/4.5
landen, er landet, er ist gelandet 10/3.1b
die *Landkarte, die Landkarten* 2/1.3a
lang 4/2.2b
lange 7/3.2b
langsam 2/4.3
langweilen (sich), er langweilt sich,
er hat sich gelangweilt 12/4.5a
langweilig 9/1.2b
der **Latte macchiato** 1/1.1b
das *Laub* 11/4.5a
laufen, er läuft, er ist gelaufen 8/3.5
die *Laune, die Launen* 12/3.1a
laut 4/1.1
leben, er lebt, er hat gelebt 2/4.1
das **Leben**, die Leben 9/4.3
das **Lebensmittel**, die Lebensmittel 10/2.4
lecker 3/Ü11
der/die **Lehrer/in**, die Lehrer/innen Start 2.1
leicht 7/3.2a
leider 4/6.1a
leidtun, er tut leid, er hat leidgetan 5/1.3
leiten, er leitet, er hat geleitet 7/3.1
der/die *Leiter/in, die Leiter/innen* 6/5.1
lernen, er lernt, er hat gelernt 2/4.1
der *Lerntipp, die Lerntipps* Start 4.0
lesen, er liest, er hat gelesen 2/1.3b
der *Lesesaal, die Lesesäle* 6/2.1
die **Leute** (Pl.) 5/4.6b
lieb 8/4.2a
die **Liebe**, die Lieben 11/4.5a
liebe ..., lieber ... (Name) 4/6.1a
lieben, er liebt, er hat geliebt 7/5.4
lieber 1/1.1b
das *Lieblingsessen, die Lieblingsessen* 10/3.1a
das *Lieblingshobby, die Lieblingshobbys* 12/1
die *Lieblingsmannschaft*,
die Lieblingsmannschaften 11/2.7b
der *Lieblingsmonat*,
die Lieblingsmonate 9/4.2
liegen, er liegt, er hat gelegen 3/2.4
lila 11/2.7a
die **Linie**, die Linien 8/1
links 4/2.2a
die **Liste**, die Listen 6/4.1a
der **Liter**, die Liter 10/2.1b
die *Lottozahl, die Lottozahlen* 2/4.2a
die **Luft**, die Lüfte 10/3.1.4
die **Lunge**, die Lungen 12/1
die **Lust** 11/0

M

machen, er macht, er hat gemacht	2/1
das **Mädchen**, die Mädchen	Start 3.7a
das *Magazin*, *die Magazine*	2/4.2a
die **Magenschmerzen** (Pl.)	12/2.5
der **Mai**	9/4.1
der/die **Makler/in**, *die Makler/innen*	4/2.1b
mal	3/2.1a
das *Malbuch*, *die Malbücher*	11/4.5a
mancher, manches, manche	8/3.2
manchmal	5/4.6b
der **Mann**, die Männer	2/3.2
der **Mantel**, die Mäntel	11/0
die **Marke**, die Marken	11/3.1a
der *Marktplatz*, *die Marktplätze*	3/0
die **Marmelade**, die Marmeladen	10/5.1
der **März**	6/5.1
die **Maschine**, die Maschinen	7/2.1
die **Mauer**, die Mauern	8/4.2b
die **Maus**, die Mäuse	6/3.1
das **Medikament**, die Medikamente	12/2.2b
das **Meer**, die Meere	9/1
das *Meeting*, *die Meetings*	6/4.1a
mehr	8/4.1
meinen, er meint, er hat gemeint	8/3.2
meistens	5/2.7
der **Mensch**, die Menschen	7/3.5
die **Messe**, *die Messen*	6/5.1
das *Messegelände*, *die Messegelände*	8/3.5
der **Meter**, die Meter	12/1.1c
mieten, er mietet, er hat gemietet	8/4.1
die **Milch**	1/0
der **Milchkaffee**, die Milchkaffees	1/4.3
das **Milchprodukt**, die Milchprodukte	12/1
die **Million**, die Millionen	1/4.5
das **Mineralwasser**, die Mineralwasser	1/4.3
minus	12/3.3b
die **Minute**, die Minuten	Start 4.1a
mit	2/2.3
das **Mitglied**, die Mitglieder	7/3.3a
mitkommen, er kommt mit, er ist mitgekommen	5/4.4a
der **Mittag**, die Mittage	5/3.1
das **Mittagessen**, die Mittagessen	5/2.2a
mittags	9/2
die **Mittagspause**, die Mittagspausen	5/2.3
die **Mitte**, die Mitten	8/4.2b
der **Mittwoch**, die Mittwoche	5/1
die **Möbel** (Pl.)	4/4.1
möchten, er möchte, er mochte	1/1.1b

die **Mode**, die Moden	11/0
modern	4/1.3
der *Modetrend*, *die Modetrends*	11/0
mögen, er mag, er mochte	10/3.2
die **Möhre**, die Möhren	10/1
der **Moment**, die Momente	2/4.1
der **Monat**, die Monate	5/0
der *Monatsname*, *die Monatsnamen*	9/4.1
der *Monitor*, *die Monitore*	6/3.1a
der **Montag**, die Montage	5/1
das **Moped**, die Mopeds	6/0
morgen	4/6.1a
der **Morgen**, die Morgen	5/3.1
morgens	5/2.5a
das **Motorrad**, die Motorräder	2/3.4c
müde	9/2
der **Mund**, die Münder	12/1.2b
die **Münze**, die Münzen	1/4.5
das **Museum**, die Museen	3/0
die **Musik**, die Musiken	Start 1.2a
der *Musikfan*, *die Musikfans*	6/5.1
der *Muskel*, *die Muskeln*	12/1
das **Müsli**	10/5.1
müssen, er muss, er musste	5/4.5b
der **Mut**	11/0
die **Mutter**, die Mütter	9/3.2
die **Mütze**, *die Mützen*	Stat. 4/2.1b

N

nach (+ Land)	2/4.1
nach Hause	6/Ü4a
der/die **Nachbar/in**, die Nachbarn/Nachbarinnen	4/1.1
der **Nachmittag**, die Nachmittage	5/3.1
nächster, nächstes, nächste	5/3.2b
die **Nacht**, die Nächte	5/3.1
die **Nähe**	3/2.5
der **Name**, die Namen	Start 2.1
die **Nase**, die Nasen	12/1.2a
national	1/4.5
die **Natur**, die Naturen	Start 1.2a
natürlich	12/2.3
der **Nebel**	11/4.2
neben	6/3.2a
neblig	11/4.2
nehmen, er nimmt, er hat genommen	1/2.3b
nein	1/2.1
nerven, *er nervt*, *er hat genervt*	12/4.5a
nett	4/1.1

neu	2/4.1	
nicht	2/1.2	
der/die **Nichtraucher/in**,		
die Nichtraucher/innen	12/3.4	
nie	7/3.5	
niemals	11/4.5a	
noch	1/1.1b	
noch einmal	Start 3.7b	
der **Norden**	3/2.4	
nördlich	3/2.4	
nordöstlich	3/2.4	
nordwestlich	3/2.4	
normal	11/4.1	
der/die **Notarzt/Notärztin**,		
die Notärzte/Notärztinnen	1/4.2a	
der **Notizblock**, die Notizblöcke	6/3.1a	
der **November**	9/4.1	
die **Nudel**, die Nudeln	10/3.1b	
der Nudelauflauf, die Nudelaufläufe	10/5.1	
die **Nummer**, die Nummern	1/4.1	
nur	4/2.2b	

O

o.k.	3/2.1a	
oben	6/2.1	
das Obst	10/2.6b	
oder	1/1.1b	
offiziell	1/4.5	
öffnen, er öffnet, er hat geöffnet	5/2.7	
die **Öffnungszeit**, die Öffnungszeiten	5/2.7	
oft	5/4.6b	
ohne	1/2.3a	
das **Ohr**, die Ohren	12/1	
der **Oktober**	8/3.4	
das Oktoberfest, die Oktoberfeste	5/3.5	
die **Oma**, die Omas	12/Ü13	
online	6/2.1	
die **Oper**, die Opern	Start 1.2a	
die **Orange**, die Orangen	10/1.1b	
orange	11/0	
der **Orangensaft**, die Orangensäfte	1/0	
ordnen, er ordnet, er hat geordnet	2/4.3	
der **Ordner**, die Ordner	6/3.1a	
organisieren, er organisiert,		
er hat organisiert	7/3.3a	
der **Ort**, die Orte	9/3.6a	
der **Osten**	3/2.4	
die Osterferien (Pl.)	9/4.1	
das **Ostern**	9/4.1	
Österreich	Start 3.7c	
östlich	3/2.4	

P

das **Paar**, die Paare	3/4.2	
packen, er packt, er hat gepackt	4/6.1a	
die **Panne**, die Pannen	5/1.3	
das **Papier**, die Papiere	2/1.3a	
der **Papierkorb**, die Papierkörbe	6/3.1a	
die **Paprika**, die Paprikas	10/2.5a	
die Parade, die Paraden	8/4.2b	
der **Park**, die Parks	3/0	
das Parlament, die Parlamente	Start 1.2a	
die **Party**, die Partys	5/4.6a	
passen, er passt, er hat gepasst	5/4.5b	
passieren, es passiert, es ist passiert	9/3	
der/die **Patient/in**,		
die Patienten/Patientinnen	7/2.1	
die **Pause**, die Pausen	2/1.3b	
die **Pension**, die Pensionen	9/2	
die **Person**, die Personen	6/2.3b	
die **Pfanne**, die Pfannen	10/5.1	
der **Pfeffer**	10/5.1	
das **Pferd**, die Pferde	11/4.5a	
das **Pfingsten**	9/4.1	
die **Pflanze**, die Pflanzen	6/3.1a	
das **Pfund**, die Pfunde	10/2.1b	
der Picknick, die Picknicke	9/2	
der/die **Pilot/in**,		
die Piloten/Pilotinnen	Start 1.2a	
pink	11/0	
die **Pizza**, die Pizzen	Start 1.2a	
der **Plan**, die Pläne	6/5.2	
planen, er plant, er hat geplant	7/3.1	
der **Platz**, die Plätze	3/1	
plötzlich	9/3.2	
die **Polizei**	1/4.2a	
die **Pommes (frites)** (Pl.)	10/3.1b	
die **Postleitzahl (PLZ)**,		
die Postleitzahlen	4/6.1a	
die **Praxis**, die Praxen	5/3.2b	
der **Preis**, die Preise	1/4.3	
prima	9/1.2b	
privat	7/2.4	
pro	4/6.1a	
probieren, er probiert, er hat probiert	9/2	
das **Problem**, die Probleme	4/6.1a	
produzieren, er produziert,		
er hat produziert	6/5.1	
das **Programm**, die Programme	7/2.3	
der/die Programmierer/in,		
die Programmierer/innen	7/1.1	
das **Projekt**, die Projekte	8/4.3	
die Projektleitung, die Projektleitungen	7/2.3	

das *Protokoll*, *die Protokolle* 9/3.2
das **Prozent**, die Prozente 3/5.2
der **Pullover**, die Pullover 11/2.2b
der **Punkt**, die Punkte 5/1.2
pünktlich 5/4.6a
die **Pünktlichkeit** 5/4.6b

Q

der **Quadratmeter (qm)**,
die Quadratmeter 4/1.1
das **Quartal**, *die Quartale* 12/2.2a
die **Querstraße**, *die Querstraßen* 8/2.1a

R

das **Rad**, die Räder 2/3.4c
der **Radiergummi**, die Radiergummis 2/1
das **Radio**, die Radios 2/4.2a
die *Radtour*, *die Radtouren* 9/2
der *Ratschlag*, *die Ratschläge* 12/3.2
rauchen, er raucht,
er hat geraucht 12/2.3
die *Raucherkneipe*,
die Raucherkneipen 12/3.4
die **Rechnung**, die Rechnungen 1/4.3a
rechts 4/2.2a
der/die **Redakteur/in**,
die Redakteure/Redakteurinnen 7/2.4
das **Regal**, die Regale 4/4.2c
der **Regen**, die Regen 9/4.3
die *Regenzeit*, *die Regenzeiten* 11/4.1
das *Regierungsviertel*,
die Regierungsviertel 8/1.2a
regnen, es regnet, es hat geregnet 11/4.1
die **Reihe**, die Reihen 8/1.2a
das **Reihenhaus**, die Reihenhäuser 4/1
der **Reis** 10/ 3.1.5b
der **Reiseführer**, die Reiseführer 9/2.3
das *Reiseziel*, *die Reiseziele* 9/1
das *Rennen*, *die Rennen* 10/3.1b
reparieren, er repariert,
er hat repariert 7/2.1
reservieren, er reserviert,
er hat reserviert 7/3.1
der *Rest*, *die Reste* 10/5.1
das **Restaurant**, die Restaurants Start 1.2a
das **Rezept (Kochrezept)**,
die Rezepte 10/3.1a
das **Rezept (für Medikamente)**,
die Rezepte 12/2.2b
richtig 11/2.1b
die **Richtung**, die Richtungen 8/3.2
das *Riesenrad*, *die Riesenräder* 9/2

der **Rock**, die Röcke 11/0
romantisch 9/1
rosa 11/0
die *Rose*, *die Rosen* 11/4.5a
die *Rosine*, *die Rosinen* 10/4.3
rot 11/0
der **Rotwein**, die Rotweine 1/0
der **Rücken**, die Rücken 4/6.1a
die **Rückenschmerzen** (Pl.) 4/6.1b
die **Rückfahrt**, die Rückfahrten 8/4.2b
die **Ruhe** 12/1
ruhig 4/1.1
rund 9/5.1
die *Runde*, *die Runden* 12/1

S

die **Sache**, die Sachen 9/4.3
der **Saft**, die Säfte 1/0
sagen, er sagt, er hat gesagt 2/4.1
die **Sahne**, die Sahnen 10/3.1.5b
die **Salami**, die Salamis 10/1
der **Salat**, die Salate 10/3.1b
das **Salz** 10/5.1
sammeln, er sammelt,
er hat gesammelt 1/2.6a
der **Samstag**, die Samstage 5/1
das **Sandwich**, die Sandwich(e)s 6/2.1
der **Satz**, die Sätze 2/4.2a
das *Sauerkraut* 10/1.4
die *Sauna*, die Saunen 12/3.1a
der/die *Schäfer/in*, *die Schäfer/innen* 11/4.5a
schaffen, er schafft, er hat geschafft 9/2
der *Schal*, *die Schals* 11/0
der **Schein (Euroschein)**, die Scheine 1/4.5
schick 11/2.4
der **Schinken**, die Schinken 10/4.1
schlafen, er schläft,
er hat geschlafen 4/2.1a
das **Schlafzimmer**, die Schlafzimmer 4/2.1c
schlecht 9/1.2b
schließen, er schließt,
er hat geschlossen 5/2.7
der **Schluss**, die Schlüsse 8/4.2a
der **Schlüssel**, die Schlüssel 4/2.1b
schmal 9/1
schmecken, er schmeckt,
er hat geschmeckt 10/3.1.5b
der **Schmerz**, die Schmerzen 12/2.4
der **Schnee** 11/4.2
schneiden, er schneidet,
er hat geschnitten 7/2.1

schneien, es schneit,		
es hat geschneit	11/4.1	
das Schnitzel, die Schnitzel	10/3.1b	
der Schnupfen, die Schnupfen	12/2.5	
die Schokolade, die Schokoladen	10/0	
die Schokoladentorte,		
die Schokoladentorten	10/3.1.5b	
schon	3/2.1a	
schön	4/2.1b	
der Schrank, die Schränke	4/4.1	
schreiben, er schreibt,		
er hat geschrieben	2/1	
der Schreibtisch, die Schreibtische	4/4.1	
die Schreibtischlampe,		
die Schreibtischlampen	4/4.2a	
der Schuh, die Schuhe	4/7.1	
das Schuhgeschäft, die Schuhgeschäfte	7/2.1	
die Schule, die Schulen	2/4.1	
der/die Schüler/in, die Schüler/innen	6/5.1	
die Schulter, die Schultern	12/1	
schwach	10/3.1.7	
schwarz	11/0	
das Schweinefleisch	10/4.3	
die Schweiz	Start 3.7c	
schwer	4/6.1a	
die Schwester, die Schwestern	9/2	
das Schwimmbad, die Schwimmbäder	5/3.5	
schwimmen, er schwimmt,		
er ist geschwommen	5/3.5	
der See, die Seen	9/0	
die See, die Seen	9/1.1	
sehen, er sieht, er hat gesehen	4/6.1a	
die Sehenswürdigkeit,		
die Sehenswürdigkeiten	8/3.6	
sehr	4/1.1	
sein, er ist, er war	Start 2.1	
seit	2/4.1	
der/die Sekretär/in,		
die Sekretäre/Sekretärinnen	7/1.1	
das Sekretariat, die Sekretariate	6/2.5	
der/die Senior/in,		
die Senioren/Seniorinnen	12/1	
der September	9/4.1	
der Sessel, die Sessel	4/4.1	
das Shopping-Paradies,		
die Shopping-Paradiese	6/5.1	
singen, er singt, er hat gesungen	7/Ü12a	
sitzen, er sitzt, er hat gesessen	7/3.2a	
Ski fahren, er fährt Ski,		
er ist Ski gefahren	12/0	
so	1/3.3c	
das Sofa, die Sofas	4/4.1	

die Software	7/2.4	
der Sohn, die Söhne	3/4.2	
der Sommer, die Sommer	Start 4.1a	
die Sommerferien (Pl.)	9/4.1	
die Sonne, die Sonnen	9/1	
sonnig	11/4.1	
der Sonntag, die Sonntage	5/1	
sortieren, er sortiert, er hat sortiert	1/2.6a	
die Spaghetti (Pl.)	10/3.1b	
der Spaß, die Späße	2/4.1	
spät	2/4.3	
spazieren gehen, er geht spazieren,		
er ist spazieren gegangen	9/Ü18	
der Spaziergang, die Spaziergänge	8/1.2a	
speziell	12/1	
der Spiegel, die Spiegel	4/4.1	
spielen, er spielt, er hat gespielt	2/4.1	
der/die Spieler/in, die Spieler/innen	11/2.6	
der Sport	2/4.1	
der/die Sport- und Fitnesskaufmann/		
kauffrau, die Sport- und Fitness-		
kaufmänner/kauffrauen	7/3.3	
die Sportabteilung,		
die Sportabteilungen	11/3.1a	
der Sportclub, die Sportclubs	7/3.3a	
das Sportgerät, die Sportgeräte	7/3.3a	
der Sportkurs, die Sportkurse	7/3.3a	
der/die Sportler/in, die Sportler/innen	12/1	
sportlich	8/4.1	
die Sprache, die Sprachen	4/4.1	
die Sprachschule, die Sprachschulen	8/3.7	
sprechen, er spricht,		
er hat gesprochen	1/2.6a	
die Spüle, die Spülen	4/5.1	
das Stadion, die Stadien	5/3.6b	
die Stadt, die Städte	3/0	
der Stadtbummel, die Stadtbummel	8/1	
die Städtereise, die Städtereisen	9/2.4	
die Stadtführung, die Stadtführungen	8/4.2b	
das Stadtmuseum, die Stadtmuseen	8/3.1c	
die Stadtrundfahrt,		
die Stadtrundfahrten	8/1.2a	
der/die Stadturlauber/in,		
die Stadturlauber/innen	9/1	
der Stadtverkehr, die Stadtverkehre	6/1	
das Stadtviertel, die Stadtviertel	8/4.3	
das Stadtzentrum, die Stadtzentren	6/5.1	
stark	12/1	
stärken, er stärkt, er hat gestärkt	12/3.1a	
stattfinden, es findet statt,		
es hat stattgefunden	6/5.1	
der Stau, die Staus	5/3.3a	

der **St<u>au</u>b**		11/4.5a
st<u>e</u>hen (ich stehe), er steht, er hat gestanden		4/6.1a
st<u>e</u>hen (etwas steht mir), es steht, es hat gestanden		11/3.2
die **St<u>e</u>hlampe**, die Stehlampen		4/4.1
der **St<u>ie</u>fel**, die Stiefel		11/0
st<u>i</u>mmen, es stimmt, es hat gestimmt		2/3.6
der **St<u>o</u>ck**, die Stöcke		4/6.1a
der **St<u>o</u>pp**, die Stopps		2/2.7
der **Str<u>a</u>nd**, die Strände		9/0
der **Str<u>a</u>ndkorb**, die Strandkörbe		9/1
die **Str<u>a</u>ße**, die Straßen		4/1.1
die **Str<u>a</u>ßenbahn**, die Straßenbahnen		6/0
str<u>e</u>cken, er streckt, er hat gestreckt		12/1
der **Str<u>ei</u>fen**, die Streifen		10/5.1
der **Str<u>e</u>ss**		12/3.1a
das **St<u>ü</u>ck**, die Stücke		10/2.1b
der/die **Stud<u>e</u>nt/in**, die Studenten/Studentinnen		2/4.1
das **Stud<u>e</u>ntenwohnheim**, die Studentenwohnheime		4/1
stud<u>ie</u>ren, er studiert, er hat studiert		2/4.1
das **St<u>u</u>dio**, die Studios		7/3.1
das **St<u>u</u>dium**, die Studien		3/5.1
der **St<u>u</u>hl**, die Stühle		2/1.3a
die **St<u>u</u>nde**, die Stunden		5/0
st<u>u</u>ndenlang		7/3.2a
s<u>u</u>chen, er sucht, er hat gesucht		4/5.2a
der **S<u>ü</u>den**		3/2.4
s<u>ü</u>dlich		3/2.4
s<u>ü</u>döstlich		3/2.4
s<u>ü</u>dwestlich		3/2.4
s<u>u</u>per		8/4.1
der **Superm<u>a</u>rkt**, die Supermärkte		Start 1.2a
die **S<u>u</u>ppe**, die Suppen		6/2.1
s<u>ü</u>ß		10/5.1
das **Syst<u>e</u>m**, die Systeme		7/2.4

T

die **Tabl<u>e</u>tte**, die Tabletten		12/2.2b
die **T<u>a</u>fel**, die Tafeln		2/1.3a
der **T<u>a</u>g**, die Tage		4/6.1a
t<u>ä</u>glich		12/1.1c
t<u>a</u>nken, er tankt, er hat getankt		12/3.1a
die **T<u>a</u>nkstelle**, die Tankstellen		5/2.7
die **T<u>a</u>nte**, die Tanten		9/Ü2b
t<u>a</u>nzen, er tanzt, er hat getanzt		12/0
die **T<u>a</u>sche**, die Taschen		2/1.3a

die **Tastat<u>u</u>r**, die Tastaturen		6/3.1
die **T<u>ä</u>tigkeit**, *die Tätigkeiten*		7/3.3b
t<u>au</u>chen, er taucht, er hat getaucht		12/0
das **T<u>a</u>xi**, die Taxen		7/1.1
der/die **T<u>a</u>xifahrer/in**, die Taxifahrer/innen		7/1.1
die **T<u>e</u>chnik**, die Techniken		4/5.2a
der **T<u>ee</u>**, die Tees		1/0
der/die **T<u>ei</u>lnehmer/in**, die Teilnehmer/innen		8/1
das **Tel<u>e</u>fon**, die Telefone		Start 1.2a
telefon<u>ie</u>ren, er telefoniert, er hat telefoniert		7/3.2a
die **Tel<u>e</u>fonnummer**, die Telefonnummern		1/4.1
der **T<u>e</u>ppich**, die Teppiche		4/4.1
der **Term<u>i</u>n**, die Termine		12/2.1
die **Terr<u>a</u>sse**, die Terrassen		4/0
t<u>eu</u>er		4/3.4
der **T<u>e</u>xt**, die Texte		Start 4.0
das **Th<u>ea</u>ter**, die Theater		3/0
das **Th<u>e</u>ma**, die Themen		10/3.1a
them<u>a</u>tisch		8/4.2b
das **T<u>i</u>cket**, die Tickets		7/3.1
das **T<u>ie</u>r**, die Tiere		7/3.5
der **T<u>i</u>pp**, die Tipps		6/5.1
der **T<u>i</u>sch**, die Tische		4/4.1
die **T<u>o</u>chter**, die Töchter		7/3.2a
die **To<u>i</u>lette**, die Toiletten		4/3.4
t<u>o</u>ll		8/4.1
die **Tom<u>a</u>te**, die Tomaten		10/0
der **Tom<u>a</u>tensaft**, *die Tomatensäfte*		10/4.3
die **Tom<u>a</u>tensoße**, die Tomatensoßen		10/3.1b
der **T<u>o</u>n**, *die Töne*		2/2.5a
das **T<u>o</u>preiseziel**, *die Topreiseziele*		9/1.1
das **T<u>o</u>r**, die Tore		3/1
die **T<u>ou</u>r**, *die Touren*		9/2
der/die **Tour<u>i</u>st/in**, die Touristen/Touristinnen		Start 1.2a
die **Tour<u>i</u>steninformation**, die Touristeninformationen		8/3.5
die **Tradit<u>i</u>on**, die Traditionen		6/5.1
tr<u>a</u>gen, er trägt, er hat getragen		11/0
der/die **Tr<u>ai</u>ner/in**, die Trainer/innen		7/3.3b
train<u>ie</u>ren, er trainiert, er hat trainiert		7/3.1
das **Tr<u>ai</u>ning**, die Trainings		12/1
der **Tr<u>ai</u>ningsanzug**, *die Trainingsanzüge*		11/2.6
der **Transp<u>o</u>rt**, *die Transporte*		Start 3.3

der **Traum**, die Träume	4/3.5
die **Traumfrau**, die Traumfrauen	12/4.3a
der **Traummann**, die Traummänner	12/4.3b
treffen (sich), er trifft sich,	
er hat sich getroffen	5/3.6a
der **Trend**, die Trends	11/0
trinken, er trinkt,	
er hat getrunken	1/1.1b
die **Trockenzeit**, die Trockenzeiten	11/4.1
tschüss	5/3.6a
das **T-Shirt**, die T-Shirts	11/0
tun, er tut, er hat getan	5/3.3a
die **Tür**, die Türen	2/2.1
türkis	11/2.7a
der **Turm**, die Türme	3/1
die **Tüte**, die Tüten	10/2.7
das **TV**, die TVs	Start 3.3
die **TV-Serie**, die TV-Serien	3/4
typisch	9/1

U

die **U-Bahn**, die U-Bahnen	6/0
üben, er übt, er hat geübt	1/2.6a
über	1/4.5
überall	12/1
überarbeiten, er überarbeitet,	
er hat überarbeitet	8/4.2b
überhaupt nicht	11/2.4
übernachten, er übernachtet,	
er hat übernachtet	9/2
überraschen, er überrascht,	
er hat überrascht	10/3.1b
übersetzen, er übersetzt,	
er hat übersetzt	12/3.1a
die **Übung**, die Übungen	12/1
die **Uhr**, die Uhren	Start 4.1a
um	5/1.3
die **Umfrage**, die Umfragen	10/3.1a
die **Umkleidekabine**,	
die Umkleidekabinen	11/3.3a
der **Umzug**, die Umzüge	4/6.1a
der **Umzugskarton**,	
die Umzugskartons	4/6.1a
und	Start 2.1
der **Unfall**, die Unfälle	9/0
ungefährlich	12/1
die **Universität (Uni)**,	
die Universitäten	2/4.1
unten	6/2.1
unter	6/3.2a
unterrichten, er unterrichtet,	
er hat unterrichtet	7/2.1

untersuchen, er untersucht,	
er hat untersucht	7/2.1
unterwegs	8/4.1
der **Urlaub**, die Urlaube	5/2.4
der/die **Urlauber/in**, die Urlauber/innen	9/1
das **Urlaubserlebnis**,	
die Urlaubserlebnisse	9/0
das **Urlaubsland**, die Urlaubsländer	9/5.1
die **Urlaubsplanung**,	
die Urlaubsplanungen	9/4.1
die **Urlaubsreise**, die Urlaubsreisen	9/5.1
das **Urlaubsziel**, die Urlaubsziele	9/5.1

V

die **Vase**, die Vasen	4/3.1a
der **Vater**, die Väter	9/3.2
der/die **Vegetarier/in**,	
die Vegetarier/innen	10/4.3
vegetarisch	10/5.1
die **Verabredung**, die Verabredungen	5/4.5b
verbinden, er verbindet,	
er hat verbunden	8/4.2b
verbrauchen, er verbraucht,	
er hat verbraucht	12/1
verdienen, er verdient,	
er hat verdient	7/3.5
vergehen, er vergeht,	
er ist vergangen	11/4.5a
vergessen, er vergisst,	
er hat vergessen	12/1
vergleichen, er vergleicht,	
er hat verglichen	8/4.3
verheiratet	2/4.1
verkaufen, er verkauft,	
er hat verkauft	7/2.1
der/die **Verkäufer/in**,	
die Verkäufer/innen	7/2.1
der **Verkehr**	6/1.2
der **Verlag**, die Verlage	7/2.4
verlieren, er verliert,	
er hat verloren	9/3.2
verrühren, er verrührt,	
er hat verrührt	10/5.1
verschreiben, er verschreibt,	
er hat verschrieben	12/2.3
versichern (sich), er versichert sich,	
er hat sich versichert	12/2.2b
der/die **Versicherte**, die Versicherten	12/2.2b
die **Verspätung**, die Verspätungen	5/4.1
verstehen, er versteht,	
er hat verstanden	2/1.2
die **Verwaltung**, die Verwaltungen	6/2.1

	verwechseln, er verwechselt,	
	er hat verwechselt	8/3.2
	viel	1/2.2b
	Vielen Dank!	4/3.2
das	Viertel, die Viertel	5/2.2a
die	Viertelstunde, die Viertelstunden	6/1
der	Volkssport, die Volkssports	12/1
	voll	8/1.2a
der	Volleyball	12/0
	von	3/2.4
	von ... bis	7/3.3a
	von Beruf	7/1.2
	vor	5/2.2a
	vorbei an	8/2.4
	vorbei sein, es ist vorbei,	
	es war vorbei	12/1
der	Vormittag, die Vormittage	5/3.1
	vormittags	9/2
der	Vorname, die Vornamen	Start 3.8

W

	wählen, er wählt	8/2.4a
der	Wald, die Wälder	9/0
die	Wand, die Wände	6/3.2a
	wandern, er wandert,	
	er ist gewandert	9/1
die	Wanderung, die Wanderungen	9/2.4
	wann	5/2.3
	warm	1/4.3
die	Wärme	11/0
	warten, er wartet, er hat gewartet	5/4.1
die	Warteschlange, die Warteschlangen	9/1
das	Wartezimmer, die Wartezimmer	12/2.2a
	was	1/1.1b
	was für ein	4/2.2b
das	Waschbecken, die Waschbecken	4/5.1
	waschen, er wäscht,	
	er hat gewaschen	Stat. 4/1.4
die	Waschmaschine,	
	die Waschmaschinen	4/6.1a
das	Wasser, die Wasser/Wässer	1/0
der	Wecker, die Wecker	5/0
der	Weg, die Wege	6/2.3b
	wehtun, es tut weh,	
	es hat wehgetan	12/2.3
die	Weihnachtsferien (Pl.)	9/4.1
der	Wein, die Weine	1/1.4
	weiß	11/0
das	Weißbrot, die Weißbrote	10/1.4
der	Weißwein, die Weißweine	1/0
	weit	8/2.1a

	weiterfahren, er fährt weiter,	
	er ist weitergefahren	9/3.2
die	Weiterfahrt, die Weiterfahrten	9/2
	welcher, welches, welche	3/5.5
die	Welt, die Welten	6/5.1
	wenig	1/2.3a
	wenn	11/4.5a
	wer	Start 2.1
die	Werbung, die Werbungen	6/2.2a
die	Werkstatt, die Werkstätten	7/0
der	Westen	3/2.4
	westlich	3/2.4
das	Wetter	9/1.2b
	wichtig	2/4.1
	wie	Start 2.1
	wie bitte?	2/1.2
	wie viel	5/2.3
	wieder	8/3.7
	wiederholen, er wiederholt,	
	er hat wiederholt	2/1
das	Willkommen	9/4.3
der	Wind, die Winde	11/4.2
	windig	11/4.1
der	Winter, die Winter	9/4.1
die	Winterferien (Pl.)	9/4.1
	wirklich	4/2.2b
	wissen, er weiß, er hat gewusst	3/1.5
	wo	Start 2.3
die	Woche, die Wochen	5/0
das	Wochenende, die Wochenenden	5/0
	woher	Start 2.1
	wohnen, er wohnt,	
	er hat gewohnt	Start 2.3
die	Wohngemeinschaft,	
	die Wohngemeinschaften	3/4.2
das	Wohnheim, die Wohnheime	4/1.1
die	Wohnung, die Wohnungen	4/1.1
das	Wohnzimmer, die Wohnzimmer	4/2.1a
die	Wolke, die Wolken	11/4.2
	wollen, er will, er wollte	8/1.2a
das	Wort, die Wörter	2/2.7
das	Wörterbuch, die Wörterbücher	2/0
das	Wörternetz, die Wörternetze	4/5.1
	wunderschön	12/4.3b
	wünschen, er wünscht,	
	er hat gewünscht	10/1
der	Würfel, die Würfel	10/5.1
die	Wurst, die Würste	10/1.1b

Y

das	Yoga	12/0

Z

	z. B. (= zum Beispiel)	4/5.1
die	**Zahl**, die Zahlen	1/3.3b
	zahlen, er zahlt, er hat gezahlt	1/4.4a
das	*Zahlungsmittel, die Zahlungsmittel*	1/4.5
der/die	**Zahnarzt/Zahnärztin**,	
	die Zahnärzte/Zahnärztinnen	5/4.1
	zehn	1/3.1
	zeigen, er zeigt, er hat gezeigt	11/4.5a
die	**Zeit**, die Zeiten	5/2.3
die	**Zeitung**, die Zeitungen	6/2.1
	zelten, er zeltet, er hat gezeltet	9/2.4
	zentral	4/6.1a
das	**Zentrum**, die Zentren	6/5.1
der	**Zettel**, die Zettel	4/5.1
das	**Ziel**, die Ziele	9/5.1
	ziemlich	4/1.1
die	**Zigarette**, die Zigaretten	12/2.3
das	**Zimmer**, die Zimmer	4/1
der	**Zoo**, die Zoos	5/3.6b
	zu	2/4.3
	zu Hause	7/3.5
der	**Zucker**	1/2.3a
der	**Zug**, die Züge	5/4.1
	zunehmen, er nimmt zu,	
	er hat zugenommen	12/3.1a
	zurückdenken, er denkt zurück,	
	er hat zurückgedacht	11/4.5a
	zusammen	1/4.4a
	zusammenarbeiten, er arbeitet	
	zusammen, er hat zusammen-	
	gearbeitet	7/3.5
	zusammengehören, es gehört	
	zusammen, es hat zusammengehört	12/1
die	*Zutat, die Zutaten*	10/5.1
	zweimal	12/3.1a
die	**Zwiebel**, die Zwiebeln	10/5.1
	zwischen	5/2.3

Bildquellenverzeichnis

S. 130: © Fotolia, Dron (a) – © Corbis/Ocean (b) – © Fotolia, Yuri Arcurs (c) – © iStockphoto, Jörg Tietge (d) – unten v.l.n.r.: iStockphoto, Terry J. Alcorn – © Shutterstock, Stanislav Komogorov – © Fotolia, Broker – © iStockphoto, Fotopsia | S. 131: © iStockphoto, Catherine Yeulet (e) – © Fotolia, ArtmanWitte (f) – © iStockphoto, Acilo (g) – © Shutterstock, Edw (h) – unten v.l.n.r.: © Shutterstock, Kanvag – Kokhanchikov – Cyril Hou – PhotoFixPics | S. 132: © Fotolia, Eyeami | S. 133: © iStockphoto, Jacob Wackerhausen (unten links) – Willie B. Thomas (unten rechts) | S. 134: © Fotolia, Pressmaster (oben) – Contrastwerkstatt (unten) | S. 136: © Shutterstock, Konstantin Chagin | S. 138: © Shutterstock, Margoulliat photo (1) – Maxx-Studio (2) – Mircea Maties (3) – VladiesCern (4) – © Fotolia, Rainer Golch (5) – © Shutterstock, Swapan (6) | S. 140: © Corbis/Cardinal | S. 142: © iStockphoto, Rich Legg | S. 144: © Fotolia, Olly (oben) – © iStockphoto, Silvrshootr (Mitte) – © Adpic, D. Cervo (unten) | S. 146: © Berlin-Images (1) – © Fotolia, Marco Richter (2) – Philipus (3) – © Pixelio (4) – Ullsteinbild, Baar (5) – Wikipedia, Gemeinfrei, © Andreas Steinhoff (6) – © Cornelsen Schulverlage GmbH, R. Bettermann (unten) | S. 147: © Imago, Schöning (8) – © Fotolia, Bernd Kröger (9) – © Cornelsen Schulverlage GmbH, H. Funk (10) | S. 150: © Fotolia, Light Impression | S. 152: © Fotolia, fotofreaks (oben) – © Dreamstime, Nashorn (Mitte) – © Fotolia, Thomas Reimer (unten links) – Sale (unten rechts) | S. 154: © Alexander Tarasov | S. 155: © Digitalstock, ArTo (1) – © Fotolia, dpaint (2) – © iStockphoto , Maciej Noskowksi – Relax-Foto.de (4) | S. 158: © Digitalstock, A. Buss | S. 159: © Cornelsen Schulverlage GmbH, H. Ekre (oben) – © iStockphoto, Thomas_EyeDesign (Mitte) | S. 162: © Fotolia, idee23 (a) – Line-of-sight (b) – © Clipdealer, Koi88 – unten v.l.n.r.: © Fotolia, Andrzej Tokarski – Sebastian Helminger – U.L. – Felinda | S. 163: © Fotolia, Philipp Baer (d) – unten v.l.n.r.: © Fotolia, VRD – Philipp Baer – Popeyeka – Lothar LORENZ | S. 164: © iStockphoto, Imre Cikajlo (a) – © Fotolia, Hendrik Schwartz (b) – © Shutterstock, Bernd Schmidt (c) – © Adpic, P. Lange (d) – © Mauritius Images, Phovoir (e) | S. 167: © Fotolia, Picture-Art (links) – Dhanuss (Mitte) – Odua Images (rechts) | S. 169: © Fotolia, Monkey Business (oben) – EXTREM-FOTOS (Istrien) – Mar Scott-Parkin (Venedig) – Andreas P. (Alpen) | S. 170: © Digitalstock, U. Neugebauer (1) – © Fotolia, Bettina Eder (2) – © Shutterstock, Maridav (3) – R.S. Jegg (unten links) – © Fotolia, Bernd Rehorst (unten Mitte) – © Shutterstock, Willem van de Kerkhof (unten rechts) | S. 171: © Fotolia, Wiw (oben) – Yury Shchipakin (unten) | S. 172: © Picture Alliance, Bildagentur Huber/Leimer (oben 2.v.l.) – © iStockphoto, Martin Wahlborg (oben 3.v.l.) – © Fotolia (oben rechts) – Fredredhat (unten) | S. 174: © iStockphoto, Mark Bowden | S. 175: © Fotolia, DOC RABE Media (oben) – © iStockphoto, Abel Mitja Varela (unten links) – Warren Goldswain (unten Mitte) – © Dreamstime, Peter Kirillov (unten rechts) | S. 176: © Picture Alliance, dpa-Bildarchiv (links oben) – © Aura Ammon (links unten) – © Picture Alliance, Bildarchiv (unten Mitte) – © ddp, Lang (rechts) | S. 178: © Mauritius Images, Mitterer (links) – Klaus Hackenberg (rechts) | S. 179: © iStockphoto, Kali9 (links) – © Shutterstock, AISPIX by Image Source (rechts) | S. 182: © Cornelsen Schulverlage GmbH, H. Ekre | S. 183: © Cornelsen Schulverlage GmbH, H. Ekre | S. 184: © iStockphoto, Mac99 (oben) – The Power of Forever Photographer (unten) | S. 185: © iStockphoto, jfmdesign (unten) | S. 186: © Fotolia, Jeannette Dietel (links) – © iStockphoto, Sean Locke (rechts) – unten v.l.n.r.: © Fotolia, Seite 3 – © Shutterstock, Dusan Zidar – © Pixelio, Jürgen Oberguggenberger – Simone Heinz | S. 187: © Fotolia, Mangostock (links) – Velazquez (oben) – Kalle Kolodziej (Mitte) – Stefan Gräf (unten) – unten v.l.n.r.: © Fotolia, ExQuisine – © iStockphoto, Factoria Singular – © Fotolia, Marina Lohrbach – Teamarbeit | S. 188: © iStockphoto, gpointstudio (links) © Fotolia, Bloomua (rechts) | S. 190: © Fotolia, Candyboximages (links) – Gerhard Seybert (rechts) | S. 191: © Fotolia, Uros Petrovic (oben) – ExQuisine (links) – © Fotolia (Mitte) – Unpict (rechts) | S. 192: © iStockphoto, Boris Ryzhkov (links) – © Fotolia (Mitte) – © iStockphoto, Uyen Le (rechts) | S. 193: © Fotolia, Barbara Pheby (oben, Mitte links) – Lavizzara (Mitte oben) – © Shutterstock, Adriana Nikolova (Mitte rechts) – © Fotolia, Jörg Rautenberg (unten links) – Detlef (unten Mitte) – SG-Design (ganz unten) | S. 194: © Fotolia, Seen (Milch) – Eyewave (Käse) – Pixelio, Andreas Morlok (Paprika) – Knipseline (Äpfel) – ExCuisine (Joghurt) – © Digitalstock (Mandarin) – © Shutterstock (Banane) – Vitaly Korovin (Tomate) – © Fotolia, RobbthomasSchenk (Salami) – Seite 3 (Butter) – © Pixelio, Jürgen Oberguggenberger (Hähnchen) | S. 195: © Shutterstock, Picsfive (1.) – © Fotolia, Seite 3 (2.) – Robby Schenk (3.) – Seite 3 (4.) – Mangostock (unten) | S. 196: © Digitalstock, F. Aumüller (oben) – © Fotolia, Aleksangel (Mitte) | S. 197: © Shutterstock, Bijoy Verghase (links) – © iStockphoto, Zhang Bo (rechts) | S. 198: © Fotolia, Lunaundmo | S. 199: © Corbis | S. 200: © Fotolia, Amir Kaljikovic (links) – © Shutterstock, Yuri Arcurs (2.v.l.) – © iStockphoto, Kemter (3.v.l.) – © Fotolia, Narayan Lazic (rechts) | S. 202: © iStockphoto, drbimages (links) – Yuri Arcurs (2./3.v.l.) – © Shutterstock, Rob Byron (3.v.l.) – Stockyimages (rechts) – unten v.l.n.r.: © Fotolia, Panthesja – © Shutterstock, Vadym Andrushchenko – © Fotolia, Jarma – Photocrew – © Shutterstock, John Zhang | S. 203: © Fotolia, Andres Rodriguez (links) – © iStockphoto, Jaroslaw Wojcik (2.v.l.) – © Fotolia, Andrey Kiselev (3.v.l.) – © Shutterstock, Sean Nel (rechts) – unten v.l.n.r.: © Pixelio, LouPe – © Fotolia, Jelwolf – © Shutterstock, Gemenacom – © Pixelio, Birgit Winter – © Shutterstock, Erik Lam – © Shutterstock, Iakov Kalinin | S. 205: © Shutterstock, Fstockphoto (oben links) – © Picture Alliance, Sven Simon (oben rechts) – © Picture Alliance, Oryk HAIST für Sven Simon | S. 206: © Shutterstock, Timur Kulgarin (oben) – © Picture Alliance, Faye Sadou (Mitte) | S. 208: © Fotolia, Sonne Fleckl (1) – DanielaEvaSchneider (2) – Miredi (3) – Maldesowhat (5) – © Pixelio, Lupo (6) – © Digitalstock, M. Otto (7) – © Fotolia, Nazzu (8) | S. 209: © Mauritius

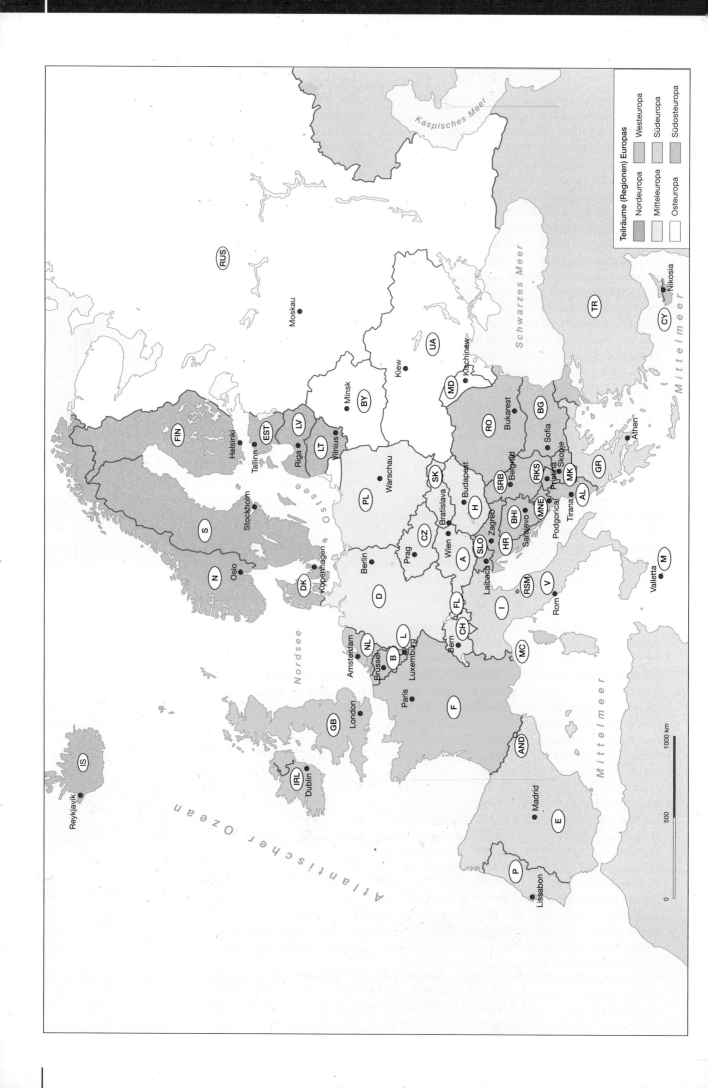

Teilräume (Regionen) Europas
- Nordeuropa
- Mitteleuropa
- Osteuropa
- Westeuropa
- Südeuropa
- Südosteuropa

Atlantischer Ozean

Nordsee

Ostsee

Kaspisches Meer

Schwarzes Meer

Mittelmeer

Mittelmeer

RUS — Moskau
FIN — Helsinki
S — Stockholm
N — Oslo
IS — Reykjavik
IRL — Dublin
GB — London
EST — Tallinn
LV — Riga
LT — Vilnius
BY — Minsk
UA — Kiew
DK — Kopenhagen
PL — Warschau
MD — Kischinew
RO — Bukarest
BG — Sofia
TR
CY — Nikosia
GR — Athen
MK — Skopje
AL — Tirana
SRB — Belgrad
RKS — Priština
MNE — Podgorica
BHI — Sarajevo
HR — Zagreb
SLO — Laibach
SK — Bratislava
CZ — Prag
H — Budapest
A — Wien
D — Berlin
NL — Amsterdam
B — Brüssel
L — Luxemburg
F — Paris
CH — Bern
FL
I — Rom
RSM
V
MC
M — Valletta
E — Madrid
P — Lissabon
AND

500   1000 km
0